# Mozambique

D0308612

**MENSEN · POLITIEK · ECONOMIE · CULTUUR · MILIEU**

*Mozambique 99%*

*Inge Ruigrok*

**KONINKLIJK INSTITUUT VOOR DE TROPEN · NOVIB · II.II.II**

Inge Ruigrok (1970) is journaliste en politicologe. Met Johannesburg als standplaats berichtte ze tussen 1997 en 2000 voor media in binnen- en buitenland over zuidelijk Afrika. Tegenwoordig woont ze in Portugal, waar ze werkt aan een promotieonderzoek over Angola. Ze reisde diverse keren naar Mozambique voor het maken van reportages, achtergrondverhalen en interviews.

KIT Publishers
Postbus 95001, 1090 HA Amsterdam
E-mail: publishers@kit.nl
Websites: www.landenreeks.nl en
www.kit.nl/publishers
België: www.11.be/uitgeverij en
www.landenreeks.be

De Landenreeks is het resultaat van
samenwerking tussen het Koninklijk Instituut voor
de Tropen, Novib en 11.11.11.

ISBN 90-6832-410-1
NUR 516/900

© 2005 KIT Publishers – Amsterdam /
Novib – Den Haag

*Productie en eindredactie*
Hans van de Veen/Bureau M&O

*Kernredactie*
Karolien Bais, Marcel Bayer, Lianne Damen,
Corine van Kelecom, Ineke van Kessel, Jessica
Teunissen, Hans van de Veen

*Foto's*
Omslagfoto: Op het strand bij Maputo
Anzenberger\Hollandse Hoogte

Alle foto's zijn afkomstig van de Zuid-Afrikaanse
fotografe Neo Ntsoma, tenzij anders vermeld.

*Cartografie*
K. Prins, M. Rieff jr.

*Infographics*
Mediagraphix, Hilversum

*Lithografie*
ColorSet, Amsterdam

*Productiebegeleiding*
Meester & De Jonge, Lochem

*Zetwerk*
MMS Grafisch Werk, Amsterdam

LOSSE VERKOOP
Losse delen van de Landenreeks zijn verkrijgbaar in de boekhandel, of kunnen besteld worden via www.kit.nl/publishers (Nederland) of www.11.be/winkel (België).

ABONNEMENTEN
Wie een abonnement neemt op de Landenreeks (zeven titels per jaar), krijgt elk deel met korting thuis gestuurd. Abonnementen zijn te bestellen via de websites van Novib (www.novib.nl/webwinkel) of 11.11.11 (www.11.be/winkel).

Abonnementenadministratie:

| Nederland | België |
|---|---|
| Novib | 11.11.11 |
| Postbus 30919 | Vlasfabriekstraat 11 |
| 2500 GX Den Haag | 1060 Brussel |
| 070 342 17 77 | 02 536 11 22 |

LEVERBARE TITELS UIT DE LANDENREEKS

Afghanistan • Albanië • Angola • Argentinië Armenië • Bangladesh • Bhutan • Birma Bolivia • Bosnië-Herzegovina • Brazilië* Bulgarije • Burkina Faso • Cambodja • Chili China • Colombia • Congo DR • Costa Rica Cuba • Egypte • Ethiopië • Filipijnen • Ghana* Georgië • Haïti • India* • Indonesië* • Irak Ivoorkust • Japan • Kenya • Korea • Laos

Libanon • Macedonië • Madagaskar • Maleisië & Singapore • Marokko • Mexico • Mongolië* Mozambique • Nepal • Nicaragua • Nigeria Oekraïne* • Oman en de emiraten aan de Golf Peru • Roemenië • Rwanda • Saudi-Arabië Servië-Montenegro • Sri Lanka • Sudan Suriname • Syrië • Thailand • Turkije Uganda* • Vietnam • Zuid-Afrika

* verschijnt in 2005

# INHOUD

# INLEIDING

*Vooruitgang, maar wel vanaf bijna nul*

'Het was niet gemakkelijk om vrede te bereiken', zegt Joaquim Chissano plechtig. Zijn woorden echoën over het Plein van de Mozambikaanse Helden. Een kleine menigte heeft zich op deze vroege oktobermorgen verzameld bij het socialistische monument in Maputo, waar de veteranen van het Frente de Libertação de Moçambique (Frelimo) begraven liggen. Zij zijn gekomen om te luisteren naar een van de laatste toespraken van de aftredende president. Het is vooral een heldenspeech. Hij looft zijn voorganger Samora Machel, bekritiseert Renamo, wijdt uit over het ellenlange proces dat uiteindelijk naar het vredesakkoord leidde.

Op deze dag precies twaalf jaar geleden zetten de voormalige bevrijdingsbeweging Frelimo en de verzetsbeweging Resistência Nacional Moçambicana (Renamo) in Rome een punt achter hun oorlog, een van de wreedste die het Afrikaanse continent tot dan toe teisterde. Een miljoen mensen kwamen om. 1,7 Miljoen Mozambikanen vluchtten naar de buurlanden. Nog eens vier miljoen mensen raakten op drift in eigen land. De oorlog, gevoed door de blanke regimes in Zuid-Afrika en Rhodesië, bracht Mozambique begin jaren tachtig op de rand van de afgrond. Met veel hulp van donoren en onder strakke regie van het Internationaal Monetair Fonds (IMF) krabbelde het land weer op.

Tegenwoordig is Mozambique niet meer het allerarmste land ter wereld, maar eerder een 'Afrikaanse Tijger', analoog aan de snelgroeiende Aziatische economieën. De Mozambikaanse economie groeide de eerste jaren van het nieuwe millennium met gemiddeld 8 procent per jaar. Dat was het hoogste percentage in Afrika beneden de Sahara, waarbij wel bedacht moet worden dat de Mozambikaanse economie na de oorlog vanaf bijna het nulpunt begon. Buitenlandse investeringen komen tegenwoordig weer het land binnen, hoewel nog vooral afkomstig uit buurland Zuid-Afrika en gericht op enkele grote projecten. De armoede in de steden en op het platteland neemt heel voorzichtig af. Tegelijkertijd groeit de kloof tussen arm en rijk, en tussen stad en platteland.

De asymmetrische regionale ontwikkeling is mede een erfenis uit de koloniale tijd. De Portugezen wisten het langgerekte Mozambique nooit tot een geheel te maken. Het zuiden profiteerde mee van de economische voorspoed in buurland Zuid-Afrika, het noorden bleef ver achter. Nog altijd is de hoofdstad Maputo de financiële hub, het centrum van de politieke macht, intellectuelen en stedelijke cultuur. Maar de decentralisatie van

Aanvoer van maïsmeel, basisvoedsel voor de meeste Mozambikanen. Het land beschikt over veel vruchtbare grond en is goed in staat de eigen bevolking te voeden. Het wisselvallige klimaat maakt Mozambique echter gevoelig voor droogtes en overstromingen.

staatsinstituten, een nationaal wegennetwerk en een nieuwe brug over de rivier Zambezi moeten de kloof verkleinen en Mozambique echt tot één land maken.

De eens zo gevreesde Renamo-rebellen beschikken tegenwoordig over kantoren en parlementszetels. De oud-marxisten van Frelimo staan nu pluralisme voor en vrijheid van godsdienst. Zij gaven de Mozambikanen, in de woorden van schrijver Mia Couto, 'massaconstructiewapens': de mogelijkheid om onafhankelijk te denken.

'We moeten een waarheidscommissie oprichten, zoals Zuid-Afrika, zeiden sommigen. Maar waarom?', vervolgt Chissano zijn toespraak met een vragende blik naar het publiek. 'We hebben een volk dat zich wil verzoenen. De oorlog is afgelopen en nu openen we een nieuwe pagina en gaan we verder. In Mozambique doen we het op onze manier, op de Mozambikaanse manier.' Applaus volgt. 'Buitenlanders zeggen: het gaat uitstekend met Mozambique. Maar dat woord wil ik niet gebruiken. Het gaat goed. Maar we hebben nog een lange weg te gaan. We gaan de absolute armoede uitbannen. Mensen moeten te eten hebben en fatsoenlijk kunnen leven. Maar dit alles hangt af van de vrede.'

# I GESCHIEDENIS EN POLITIEK

*Moeizame geboorte van een natie*

In de laatste jaren van de burgeroorlog was Maríngué in de provincie Sofala het militaire bolwerk van Renamo. Vijf kilometer buiten het stadje bestaat nog altijd een militaire basis waar zich gewapende mannen bevinden. Niemand weet precies hoeveel het er zijn, de schattingen lopen uiteen van honderdvijftig tot vijfhonderd. Deze groep is een relict uit het vredesverdrag: daarin staat dat Renamo een aantal oud-strijders mag behouden ter bescherming van zijn leiders, totdat deze zijn opgenomen in het leger. Dit laatste is nooit gebeurd. Renamo-topman Afonso Dhlakama weigert bescherming door de politie, die hij ten diepste wantrouwt. Pas als hij tot president wordt gekozen zal Dhlakama zijn 'presidentiële garde' demobiliseren, zo heeft hij laten weten.

Het privé-legertje van Renamo bestaat dus al sinds in 1992 de wapens werden neergelegd. In normale tijden wordt er geen ophef over gemaakt. De meerderheid van de Mozambikaanse bevolking houdt zich doorgaans bezig met overleven door voedsel te verbouwen op hun akkertjes. Maar in een verkiezingsjaar wordt 'Maríngué' steevast uit de kast gehaald en door beide partijen gebruikt om stemming tegen de ander te kweken. Het zijn gouden tijden voor de media.

In de aanloop naar de verkiezingen in december 2004 was het opnieuw raak. Zo beschuldigde Renamo de regering ervan politie-units naar Maríngué te hebben gestuurd, na een schietpartij tussen de politieke rivalen in het naburige dorp Inhaminga. Eerder zouden de voormalige rebellen zich schuldig hebben gemaakt aan inbraken en vechtpartijen, en schoten ze lukraak in het rond.

Al het geweld wordt Renamo in de schoenen geschoven om ons in diskrediet te brengen, sneerde Dhlakama een week voor de verkiezingen in de media. De regering schiet tekort in de criminaliteitsbestrijding en probeert haar eigen onkunde te bedekken, beweerde de Renamo-leider.

Dat 'Maríngué' een probleem is, zal niemand ontkennen. De vraag is hoe dit het beste kan worden opgelost. De katholieke bisschoppen hebben zich er al eens mee bemoeid maar zonder veel succes: beide partijen staan nog recht tegenover elkaar. Hoge politiefunctionarissen boden de gewapende Renamo-aanhangers een plek aan in de politiemacht, maar dat wezen zij van de hand. Het zal veel tijd en wijsheid kosten om het alom heersende wantrouwen te overwinnen. De oorlog trok diepe sporen in de samenleving, die nog lang niet zijn uitgewist.

■ **Afrikaanse koninkrijken**

Over de eerste bewoners van Mozambique is maar heel weinig bekend. Waarschijnlijk waren het nomadische jagers en verzamelaars, nauw verwant aan de Khoi-San. Zeker is dat ze aan het begin van de jaartelling gezelschap kregen van Bantu-volken, die waarschijnlijk vanuit de Niger-delta in West-Afrika naar zuidelijk Afrika migreerden. De Bantu-volken leefden in kleine, losse gemeenschappen en waren bedreven landbouwers, die kennis hadden van ijzer. Al rond het jaar 1000 dreven ze handel met de Arabieren in Afrikaans goud, ivoor, schelpen en huiden, die ze ruilden tegen onder meer specerijen en porselein uit Azië. De bloeiende handelsrelaties mondden uit in huwelijken; langzaam maar zeker ontstond aan de Oost-Afrikaanse kust de Swahili-taal en cultuur van een gemixte bevolking.

Het best georganiseerd van alle koninkrijken waren de Shona-Karanga, die Groot-Zimbabwe in het huidige Masvingo als centrum hadden. Het domein van de veehoudende Shona-Karanga strekte zich rond de elfde eeuw tot ver in Mozambique uit. Ten westen van Vilanculo zijn de ruïnes van Manykeni, hun oostelijke post op de handelsroute naar de Indische Oceaan, nog steeds te bewonderen. Rond 1450 viel Groot-Zimbabwe uiteen, een gebeurtenis die gepaard ging met de opkomst van het koninkrijk van Monomotapa, dat verbonden was met de Karanga. Het imperium was gevestigd ten zuiden en ten westen van het huidige Tete in Centraal-Mozambique, van waaruit het de goudhandel controleerde tussen de rivieren Zambezi en Save. Het waren hun goudmijnen – volgens de verhalen de legendarische mijnen van de bijbelse koning Salomon – die de interesse van Europese ontdekkingsreizigers voor Mozambique aanwakkerden.

*De komst van de Portugezen*   Ontdekkingsreiziger Vasco da Gama voer als eerste om Kaap de Goede Hoop en bereikte in 1498 met vier schepen de Mozambikaanse kust. De Portugees was een jaar eerder vertrokken om de levensopdracht van de toen al overleden koningszoon Hendrik te vervullen: de verkenning van de zeeroute naar India. De mannen zeilden naar Ilha de Moçambique, waar ze zich verbaasden over de verfijnde handelseconomie en de rijke kooplieden en sjeiks die ze op het eiland aantroffen. Het duurde amper een decennium voordat de Portugezen er een permanente vestiging hadden en alle handel in goud en ivoor uit de binnenlanden van Mozambique en Zimbabwe beheersten.

De nieuwe heersers beperkten zich tot de kust, totdat António Fernandes in 1511 via de rivier Zambezi de binnenlanden van Mozambique bereikte. Hij keerde terug met waardevolle informatie over de rivierroutes en de handelscondities. Een uitgekiend systeem van *prazos* (landerijen) moest de Portugese aanwezigheid daar versterken. De Portugese Kroon kende prazos toe aan Portugezen, die op hun nieuwe landgoed Afrikanen als werkkrachten mochten gebruiken, een klein leger oprichtten en handel dreven. Sommige prazos groeiden uit tot onafhankelijke staatjes. Ze waren tot ver in de 18de eeuw de basis van de toenemende macht en rijkdom van een creoolse elite, die als een feodale aristocratie de zaken in hun eigen regio regelde. De Portugese staat had nauwelijks greep op deze machtscentra.

*Lucratieve slavenhandel*  De openlegging van de zeeroute naar India en de lucratieve handel in specerijen maakten de Portugese monarchie tot de rijkste in Europa. In de 15de eeuw bereikte het Portugese wereldrijk haar hoogtepunt. De Spanjaarden waren al westwaarts gevaren en in 1494 verdeelden de twee Iberische landen in het Verdrag van Tordesillas de wereld tussen hen beide. Portugal kreeg daarmee niet alleen de zeggenschap over de Oriënt, maar ook over Brazilië, in 1500 bij toeval ontdekt door Pedro Alvares Cabral. Lissabon groeide uit tot de belangrijkste havenstad van de wereld; de slavenhandel tussen Afrika, Europa en Brazilië nam een aanvang.

Het oorspronkelijke rekruteringsgebied voor Afrikaanse slaven was de Golf van Guinea, maar de concurrentie van andere Europese naties noopte Portugal zuiderlijker langs de Atlantische kust slaven te halen. Vooral het Kongo-koninkrijk, dat M'banza Kongo in het huidige Angola als hoofdstad had, bleek vanaf begin 16de eeuw een lucratieve bron. De toenmalige Kongo-koning bewonderde de Europese cultuur en nam de christelijke naam Alfonso aan. Maar de vriendschappelijke relatie met de Portugezen verzuurde toen Alfonso zijn koninkrijk door de slavernij fors zag inkrimpen. Veel slaven kwamen op de suikerplantages van de Portugese eilandenkolonie São Tomé e Príncipe terecht. Vanaf 1580 zeilden de Portugese slavenboten vanuit Luanda vooral naar Salvador da Bahia en Rio de Janeiro. Het economische succes van Brazilië, op gang gebracht door de suikerexport en vergroot door de goudhandel en koffieproductie, leidde tot een enorme behoefte aan slaven.

Zoals Angola een verlengstuk werd van Brazilië, ging Mozambique – of Portugees Oost-Afrika, zoals de kolonie vanaf 1752 officieel heette – deel uit maken van het Estado de India, waarvan Goa aan de westkust van India de hoofdstad was. De Portugezen hadden in India nooit een plantage-economie ontwikkeld die om slaven vroeg, waardoor goud en ivoor de belangrijkste handelproducten bleven. Halverwege de 18de eeuw expandeerde de slavenhandel in Oost-Afrika, waarbij ook Arabische handelaren een rol speelden. Volgens schattingen verlieten tussen 1750 en 1900 een half miljoen slaven de Mozambikaanse havens. De meesten kwamen op de Franse plantages in Réunion, Madagaskar en Mauritius terecht. Sommigen werden, uitgedroogd en verzwakt, op de slavenboten naar Brazilië gezet of verkocht aan de Verenigde Oost-Indische Compagnie (VOC) in de Kaapkolonie. Zelfs nadat Portugal de slavenhandel in 1836 verbood – en in 1869 de slavernij afschafte, ruim een halve eeuw na Groot-Brittannië – bleven de prazeros tot na de eeuwwisseling in mensen handelen om hun rijkdom te vergroten.

Maputo: natuurhistorisch museum, Portugese architectuur

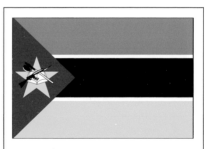

**Vlag**

De Mozambikaanse vlag wordt gekenmerkt door de symbolische afbeelding van een AK 74 geweer en een schoffel, gekruist boven een opengeslagen boek. De vlag werd in 1983 ingevoerd en lijkt sterk op de voormalige vlag van het Frelimo bevrijdingsleger. Protesten van Renamo hiertegen en de eis een nieuwe vlag te introduceren hebben tot nu toe geen resultaat gehad.

Voormalig Portugees fort bij baai van Maputo

Een ontmoeting tussen president Chissano en de voormalige Amerikaanse president Carter, waarnemer bij de Mozambikaanse verkiezingen in 2004

**De 'scramble' om Mozambique** Ondertussen brokkelde het Portugese handelsimperium in Azië – onder Franse, Engelse en Hollandse druk – steeds verder af, waardoor ook Portugees Oost-Afrika van minder belang werd. De Portugese droom van de *viagem a contracosta* – de verbinding over land tussen de twee koloniën in zuidelijk Afrika – verbleekte. De Portugezen hadden zelfs de grootste moeite Portugees Oost-Afrika tot een geheel te maken. Een van de problemen was de immense afstand waarover het territorium zich van zuid naar noord uitstrekte. Ook waren de verschillende delen van het huidige Mozambique meer op de buurlanden in het westen georiënteerd dan op elkaar: de routes voor handel en migratie liepen van oost naar west. De Portugezen veroorzaakten nog meer fragmentatie toen ze het territorium in zeven losse koloniën opdeelden.

De groeiende koloniale macht van Engeland liet zich al in de 18de eeuw gelden. De Hollanders moesten in 1795 Kaapstad ontruimen en de Britten dreigden op de Berlijnse Conferentie ook de controle over Portugees Oost-Afrika op te eisen. Een in 1890 ondertekend verdrag voorkwam op het nippertje een Britse overname. Portugal herwon aan zelfvertrouwen en was vast van plan van Portugees Oost-Afrika een welvarende kolonie te maken, met bloeiende plantages en welvarende mijnen. Maar het ontbrak Lissabon aan de benodigde middelen om dat ideaal te verwezenlijken. Daarom werden de koloniën in het noorden en midden van het land in handen gegeven van particuliere compagnieën, die elk een serie grootschalige bedrijven omvatten waarin de Britten een flink aandeel hadden. Langzaam maar zeker veranderde het noorden in een reservoir van goedkope arbeid.

*Het Gaza-koninkrijk*  Veel Mozambikanen probeerden aan het dwangregime van de compagnieën te ontkomen door te vluchten naar Nyasaland (Malawi) en de andere Britse koloniën. Er waren eveneens talloze opstanden tegen het Portugese koloniale systeem.

De grootste uitdaging voor de koloniale heersers vormde het Gaza-koninkrijk, dat enige decennia na de ondergang van het Monomotapa-koninkrijk ontstond, aan het eind van de 18de eeuw. De ondergang van Monomotapa leidde in het zuiden van Mozambique tot een hevige strijd tussen verschillende Nguni-stammen. De Nguni leefden van de landbouw en vooral van de veeteelt en -handel. De aanhoudende droogte en de toenemende vraag van de Portugezen naar vee maakten hun handelsproducten schaars. De concurrentie verhevigde en de Nguni begonnen elkaars vee te stelen. Kleine staatjes ontwikkelden zich onder leiding van *warlords*. Een van hen was Soshangane. Hij overwon en stichtte het Gaza-koninkrijk, dat bijna het hele zuidelijke deel van Mozambique zou gaan omvatten. Kleinere gemeenschappen konden zich bij het Gaza-imperium aansluiten en zelfstandig voortbestaan, zolang ze het centrale gezag respecteerden.

Daarmee bracht Soshangane meer stabiliteit, structuur en politieke eenheid in de regio dan de Portugezen ooit voor elkaar hadden gekregen. Na Soshangane's dood in 1858 verschoof diens zoon Umzila het zwaartepunt van het imperium westwaarts naar de voet van het Chimanimani-gebergte. Umzila was in staat zijn controle over het Gaza-koninkrijk te handhaven en interne machtsstrijden te weerstaan door trouw te zweren aan de Portugezen, in ruil voor wapens en hulp bij het verdedigen van zijn heerschappij. Maar tegelijkertijd viel hij de Portugese kolonisten aan, om zo een groter gebied onder zijn controle te krijgen.

Ngungunhane, de zoon van Umzila die hem in 1884 opvolgde, leidde een nieuwe aanval op de Portugese vestigingen. In 1895 wisten de Portugezen de derde heerser van Gaza gevangen te nemen in Chaimite, centrum van het koninkrijk. Ngungunhane bracht de rest van zijn leven door in ballingschap op de Azoren, waar hij in 1906 overleed.

*Lourenço Marques*  De Portugezen toonden tot aan het einde van de negentiende eeuw nauwelijks interesse voor het zuiden van het territorium. In 1721 deed de Verenigde Oost-Indische Compagnie een poging een fort aan de baai van Delgoa te bouwen (Fort Lijdzaamheid), om er een handelsbasis te vestigen. Nadat de bezetting was gedecimeerd door tropische ziektes en voortdurende conflicten met de plaatselijke Ronga-bevolking, werd Fort Delagoa na tien moeilijke jaren opgegeven. Vervolgens deden de Portugezen een poging; het fort dat zij bouwden ging echter kort na de voltooiing in vlammen op. Hoewel het fort daarna werd herbouwd, bleef Lourenço Marques – het huidige Maputo, dat in die tijd de naam droeg van de ontdekkingsreiziger Lourenço Marques die als eerste Portugees de baai aftastte – slechts een minuscule nederzetting.

Dat veranderde radicaal toen in de Boerenrepubliek Transvaal, in het huidige Zuid-Afrika, goud en diamanten werden gevonden, waar de Britten de hand op wisten te leggen. Vanwege het nieuwe strategische belang van Lourenço Marques verschoof de Portugese aandacht naar het zuiden. In 1894 werd een nieuwe spoorlijn aangelegd tussen de baai van Delagoa en de Transvaal, die een belangrijke impuls gaf aan de groei van de nederzetting. Het zuidelijk deel van het territorium werd steeds meer het brandpunt van economische activiteiten en uiteindelijk verving Lourenço Marques in 1903 Ilha de Moçambique als hoofdstad van Portugees Oost-Afrika. Het Gaza-koninkrijk was inmiddels op zijn retour en viel in 1915 uiteen.

Rond de eeuwwisseling ging de Portugese kolonie een belangrijke rol spelen in de economieën van het Britse imperium in zuidelijk Afrika: als doorvoerhaven en als reservoir van goedkope arbeidskrachten. In 1899 verdeelde een nieuwe arbeidswet de inheemse bevolking in *assimilados*, die over volledige Portugese burgerschapsrechten beschikten, en *indígenas*, die moesten gehoorzamen aan de koloniale Afrikaanse wet. Afrikanen die wilden toetreden tot de selecte club van assimilados moesten aan de gouverneur van hun provincie bewijzen dat ze vertrouwd waren met de Portugese cultuur, zich hadden bekeerd tot het katholicisme, en Portugees konden lezen en schrijven. Vertrouwd zijn met de Portugese cultuur hield in de praktijk in dat ze hun eigen cultuur en geloof moesten opgeven, met mes en vork eten, schoenen dragen en bewijzen dat ze niet op de grond sliepen.

De meeste Afrikanen bleven derderangsburgers die zwoegden in het verfijnde systeem van dwangarbeid (*chibalo*) op de plantages, die passen nodig hadden om zich te mogen verplaatsen en forse belasting betaalden. Wanneer een indígenas in eigen land geen werk kon vinden, was de enige optie om als gastarbeider in Zuid-Afrika of Rhodesië aan de slag te gaan. Portugal sloot lucratieve deals met Zuid-Afrikaanse bedrijven die grote behoefte hadden aan goedkope arbeid. In ruil voor goedkope arbeidskrachten kreeg Lis-

## Plantages en dwangarbeid

Mozambique was onder Portugese heerschappij een lappendeken van enorme plantages en *companhias* die grote landbouwondernemingen exploiteerden en de delfstofwinning in handen hadden. Het meest succesvol was Companhia de Zambézia, die de kleinere prazeros in de vruchtbare Zambeze-vallei en Tete had overgenomen en militaire posten had opgericht om haar gebied te beschermen. Companhia de Niassa heerste over het gebied ten noorden van de rivier Lurio, terwijl Companhia de Moçambique het land tussen de rivieren de Save en Zambeze onder haar hoede had.

De kolonie groeide in de 19de eeuw uit tot een belangrijke producent van suiker, kokosnoten, katoen, rijst, thee en cashewnoten. De weelderige gewassen op de immense plantages waren niet bestemd voor de lokale bevolking, maar werden verscheept naar Lissabon en naar Zuid-Afrika en Rhodesië. Want behalve tot landbouwgrond was Portugees Oost-Afrika

sabon de toezegging dat de helft van de export van het ertsrijke Transvaal
zou worden verscheept via de haven van Lourenço Marques. Bovendien ontving Portugal dubbele belasting: over het loon van de gastarbeiders en voor
elk gesloten arbeidscontract.

## ■ Estado Novo

Vanwege de slechte administratie van de Portugezen waren het vooral de
Britten in Rhodesië en Zuid-Afrika die de winst opstreken. Het rechts-
nationalistische regime dat in Portugal in 1926 na een militaire coup onder
leiding van generaal Carmona aan de macht kwam, wilde daar korte metten
mee maken. Generaal Carmona haalde in 1928 de econoom António de
Oliveira de Salazar naar het ministerie van Financiën. Salazar bedong
absolute volmachten en wist de financiën met drastische maatregelen te
saneren. In 1932 maakte hij carrière en werd minister-president; een jaar
later gaf hij het land met een nieuwe grondwet een corporatieve politiek-
sociale grondslag (Estado Novo), een mengeling van katholiek corporatis-
me en fascisme.

Volgens Salazar moesten de koloniën in dienst staan van het moederland.
Hij ontbond daarom alle contracten met buitenlandse bedrijven, schafte de
overgebleven prazos af en bracht Portugees Oost-Afrika terug onder sterke
Portugese controle. Het resultaat was dat de handel tussen Portugal en de
koloniën toenam; ook maatregelen zoals een landbouwprogramma zorgden
voor economische opleving. Van investeringen in de sociale infrastructuur
was geen sprake. De scholen en ziekenhuizen bleven slechts voorbehouden
aan Portugezen, andere blanken en de assimilados. Het systeem van dwangarbeid werd verder geperfectioneerd en richtte zich meer op de binnenlandse plantages. Het dictatoriale regime beperkte de werving van gastarbeiders
door Zuid-Afrika, behalve in het zuiden van Mozambique. Daar nam de
migratie juist toe doordat veel mannen uitweken naar de Zuid-Afrikaanse
mijnen, waar de karige lonen nog altijd hoger waren.

gereduceerd tot doorvoerland. De compagnieën legden wegen aan en bouwden havens om
hun goederen naar de buitenlandse markten te kunnen brengen. Nieuwe spoorlijnen verbonden Rhodesië en Nyasaland (het huidige Malawi) met de haven van Beira. Lourenço Marques
kreeg een spoorlijn met de Transvaal, waardoor de haven van de stad tot de belangrijkste in
Afrika ging behoren.

De compagnieën waren berucht vanwege het bikkelharde arbeidsregime dat ze binnen
hun gebieden hanteerden. Bewoners werden gedwongen te werken op de suikerplantages en
op de katoenvelden en te helpen bij de aanleg van wegen. De arbeiders leefden onder erbar-
melijke omstandigheden en moesten forse bedragen aan hutbelasting betalen, wat hen chro-
nisch in de schulden hield. De compagnieën bleven lange tijd operationeel. Companhia de
Niassa gaf in oktober 1929 haar territorium terug aan de Portugese regering, Companhia de
Moçambique trok pas in januari 1942 de stekker eruit.

*Nieuwe immigranten*  In 1951 kregen de Portugese koloniën de status van overzeese
gebiedsdelen. Geheel tegen de trend in – de Britten en Fransen dachten
onder druk van het toenemende verzet al aan onafhankelijkheid voor hun
Afrikaanse koloniën – besloot Salazar begin jaren zestig een nieuwe impuls
te geven aan de emigratie van Portugezen naar de Afrikaanse provincies. De
regering stelde daartoe vestigingsprogramma's op: nieuwe kolonisten kregen een huis, een stuk grond in de vruchtbaarste valleien en een lening om
een landbouwbedrijfje op te bouwen. De Afrikaanse werkelijkheid in de landelijke gebieden viel echter tegen; een afzetmarkt voor de producten was
moeilijk te vinden. Duizenden Portugezen, veelal arm en ongeletterd, lieten
de akkers voor wat ze waren en trokken naar de steden, waar ze een winkel
of bedrijfje opzetten.

Hoewel Salazar volhardde in het koloniale bestuur, ging het dekolonisa-
tieproces dat zich in Azië en Afrika voltrok niet geheel aan Portugal voorbij.
India annexeerde na een militaire actie in 1961 Goa en andere Portugese
enclaves in de regio. Ook in Portugees Oost-Afrika raakte de bevolking
steeds opstandiger. Een groepje boeren in de noordelijke streek Cabo Delgado probeerde in 1959 tevergeefs het heft in eigen hand te nemen en een
coöperatie te vormen. Een jaar later, op 16 juni 1960, demonstreerden duizenden boeren in Mueda, Cabo Delgado, vreedzaam tegen de hoge belas-
tingdruk. Het Portugese leger schoot met scherp; meer dan vijfhonderd
mensen vonden de dood. De diepe afkeer van de gebeurtenis – die de
geschiedenis inging als de massamoord van Mueda en dezelfde symbolische
lading voor de Mozambikanen kreeg als Sharpeville voor de Zuid-Afrikanen – wakkerde de strijd voor onafhankelijkheid aan. Hoewel Portugal enige
goede wil toonde door het systeem van dwangarbeid in 1961 af te schaffen,
was het vuur niet meer te stoppen.

## ■ De strijd voor onafhankelijkheid

Buitenlandse steun voor de onafhankelijkheid van Mozambique kwam
vooral van Julius Nyerere, de eerste president van Tanzania. Op 25 juni
1962 kwamen drie verschillende politieke groeperingen, die in ballingschap
waren opgericht, bijeen in Dar es Salaam om het Mozambikaanse verzet te
coördineren. De nieuw opgerichte organisatie kreeg de naam Frente de
Libertação de Moçambique, het Bevrijdingsfront van Mozambique. Tot president kozen de afgevaardigden de charismatische Eduardo Mondlane, die
in Zuid-Afrika en de Verenigde Staten had gestudeerd, een goede baan had
bij de Verenigde Naties en was getrouwd met de Amerikaanse Janet Rae
Johnson.

Op 25 september 1964 kondigde Frelimo aan dat het gewapende verzet
was begonnen, met als eerste doelwit de Portugese militaire basis in Chai, in
Cabo Delgado. Frelimo wist binnen twee jaar met behulp van de lokale boe-
renbevolking grote delen van de noordelijke provincies te veroveren, maar

daarna stokten de vorderingen. Frelimo was als bevrijdingsbeweging aller-minst eensgezind. Interne strubbelingen over het leiderschap, de te volgen koers en de toekomst van Mozambique bepaalden de beginjaren. Een crisis brak uit toen Eduardo Mondlane in februari 1969 door een bombrief om het leven kwam. Het explosief was waarschijnlijk op zijn kantoor in Dar es Salaam afgeleverd door de Portugese geheime politie (PIDE), die daarbij hulp kreeg van enkele Frelimo-dissidenten.

Frelimo's militaire commandant Samora Machel nam het roer van Mond-lane over en onder zijn leiderschap barstte de onafhankelijkheidsstrijd pas goed los. Tot dan toe opereerde Frelimo vooral vanuit Tanzania, aanvanke-lijk het enige buurland waar de beweging een trainingskamp had. Onder Samora Machel opende Frelimo in 1968 vanuit Zambia een nieuw front in de provincie Tete. Van daaruit rukten de rebellen op naar het economische hart van Mozambique: de provincies Zambézia, Manica en Sofala. In 1972 kwamen de spoorlijnen naar Rhodesië en Malawi onder vuur te liggen. Fre-limo beschikte inmiddels over wapens van Oost-Europese en Chinese make-lij. Het koloniale leger, inmiddels fors uitgebreid en met militaire steun van NAVO-bondgenoten, greep echter hard in. Stakingen van havenarbeiders werden hardhandig de kop in gedrukt, studentenbewegingen opgerold en in het hele land werden sympathisanten van Frelimo gearresteerd. De Portuge-zen herplaatsten dorpelingen naar gefortificeerde complexen (*aldeamentos*) om guerrilla-infiltratie in de dorpen tegen te gaan en rekruteerden speciale troepen (Grupos Especiais) onder de Afrikaanse bevolking om gevechtsmis-sies uit te voeren. Tegen het eind van 1974 bedroeg hun aantal meer dan der-tigduizend, bijna de helft van het koloniale leger.

*Het Portugese rijk stort in*  Portugal was verzeild geraakt in een drievoudige koloniale oor-log. In Angola vond in 1961 een bloedige opstand plaats van aanhangers van de bevrijdingsbeweging MPLA, die de gevangenissen van Luanda bestorm-den om hun leiders te bevrijden. In Guinee-Bissau startte de strijd voor onafhankelijkheid in 1963. Ook in Mozambique raakten de Portugese troe-pen steeds meer in het nauw. De halsstarrige Salazar nam ook het ministerie van Defensie onder zijn hoede. De strijd in de koloniën slokte een groot deel van het nationale inkomen op; meer geld was nodig. Na Salazar's dood in 1968 besloot diens opvolger Marcelo Caetano (oud-minister voor Kolo-niale Zaken) 15 procent oorlogsbelasting op consumptieartikelen te heffen. Voor veel Portugezen was daarmee de maat vol: duizenden besloten hun vaderland vaarwel te zeggen. De stroom emigranten zwol aan tot meer dan twee miljoen tegen het eind van de jaren zestig. De economie stagneerde en de verzetsbeweging in Portugal tegen het dictatoriale regime verdiepte en verbreedde zich.

Op 25 april 1974 trokken soldaten Lissabon binnen en bezetten regerings-gebouwen. Ze werden door de bevolking begroet met anjers, die in de geweerlopen werden gestoken. De Anjerrevolutie, die vrijwel zonder bloedvergieten verliep, leidde tot snelle veranderingen in de Portugese maatschappij én in de overzeese gebieden. De nieuwe regering wilde zo snel mogelijk van de Afrikaanse koloniën af. Al op 7 september 1974, na onderhandelingen in Lusaka, wordt de onafhankelijkheid van Mozambique geregeld. Geïnspireerd door de situatie in Rhodesië poogt een groep Portugese kolonisten een staatsgreep te plegen tegen de overgangsregering, die na het Lusaka-akkoord was gevormd. Zonder succes. Op 25 juni 1975 wordt Mozambique formeel onafhankelijk, met Samora Machel als de eerste president. Joaquim Chissano (afkomstig uit Frelimo's intellectuele elite) wordt premier. Lourenço Marques heet vanaf die dag Maputo.

## ■ Marxisten aan de macht

Aangezien de oorlog was gericht tegen het koloniale systeem, en niet tegen het Portugese volk of de blanke kolonisten, stelde de Frelimo-regering dat in het nieuwe Mozambique plaats zou zijn voor iedereen. Toch bracht de onafhankelijkheid een exodus van Portugezen op gang. Slechts enkelen bleven. Frelimo startte meteen na de onafhankelijkheid met een grootscheepse hervorming van de maatschappij. De partij liet zich daarbij inspireren door de communistische revoluties in het Oostblok; de economische en politieke banden met Oost-Duitsland en de Sovjet-Unie werden aangehaald. Frelimo beschouwde het Afrikaans socialisme, dat eerder onafhankelijk geworden landen zoals Tanzania nastreefden, als mislukt.

Op een partijcongres in 1977 verklaarde Frelimo zich officieel marxistisch-leninistisch. De klassenstrijd werd de motor van de revolutie. Staatsboerderijen en boerencoöperaties deden hun intrede. Intussen nationaliseerde de regering scholen, banken, verzekeringsmaatschappijen, fabrieken. Onderscheid tussen de partij en de staat was er niet. Zelfs directeuren van staatsbedrijven werden geworven binnen de partij. Voor de ex-collaborateurs met het Portugese kolonialisme, prostituees en politieke dissidenten richtte Frelimo heropvoedingskampen in, waarvan de meeste in het afgelegen Niassa liggen. Het Siberië van Mozambique was geboren.

*De creatie van Renamo*   Het African National Congres (ANC) kreeg van Frelimo toestemming om vanuit het zuiden van Mozambique te opereren, aan de grens met het Zuid-Afrikaanse apartheidsregime. In het westen sloot Mozambique – conform de VN-oproep tot een boycot van het bewind in Salesbury – in maart 1976 de grens met Rhodesië en steunde het de Zimbabwean African National Union (ZANU) van Robert Mugabe, dat een uitvalsbasis in Mozambique opzette. Die gastvrijheid werd niet door iedereen in dank afgenomen. Het blanke minderheidsbewind van Ian Smith in Rhodesië koos voor de tactiek om het uitgestrekte grensgebied in Mozambique zo onveilig mogelijk te maken, zodat de gewapende vleugel van ZANU er moeilijker kon opereren. Ian Smith schakelde daarom kolonel Ken Flower, hoofd van de Rhodesische geheime dienst, in om een verzetsbeweging in Mozambique te creëren. Gegadigden vond hij onder de verbannen Portugese kolonisten die hoopten terug te keren naar Mozambique, verstoten Frelimo-aanhangers en andere gefrustreerden. De eerste aanvallen van de beweging, die veelzeggend de Engelse afkorting MNR (Mozambique National Resistance) hanteerde, kwamen via de ether. De uitzendingen naar Mozambique begonnen in 1975 via het radiostation Voice of Free Africa. Drie jaar later opereerde de MNR al diep in Mozambique, waar ze zich met steun van Rhodesië bezighield met sabotageacties.

Frelimo zag de MNR simpelweg als een tak van de Rhodesische leger; men geloofde dat de militaire activiteiten vanzelf zouden ophouden als het probleem in Rhodesië was opgelost. Maar die veronderstelling bleek te simplistisch. Vlak voor de onafhankelijkheid van Zimbabwe in 1980 nam het apartheidsregime in Zuid-Afrika de patronage op zich. Die Zuid-Afrikaanse beslissing vloeide vooral voort uit de afkeer van de vriendschap tussen Frelimo en het ANC. Zuid-Afrika gebruikte de MNR, dat inmiddels haar naam had veranderd in het Portugese acroniem Renamo (Resistência Nacional Moçambicana), om Mozambique te verzwakken zodat het land het ANC geen logistieke steun meer kon geven.

Hoewel Renamo na 1984 officieel niet meer vanuit Zuid-Afrika mocht opereren, kreeg ze een radiosysteem dat superieur was aan dat van het Mozambikaanse leger, wat de effectiviteit van de guerrillastrijd ten goede kwam. Maar nieuwe wapens kreeg de beweging alleen op momenten dat ze in moeilijkheden verkeerde. Dat was bij lange na niet genoeg: Renamo moest haar wapenarsenaal aanvullen met wat ze van het Mozambikaanse leger veroverde. Toch groeide Renamo, onder leiding van Afonso Dhlakama, uit tot een strak georganiseerde terreurbeweging. In 1979 bestond het Renamoleger uit tweeduizend manschappen; twee jaar later uit meer dan zevenduizend en binnen een decennium waren dat er drie keer zoveel. De interne discipline was sterk en de tactieken wreed. De rebellen plunderden dorpen, moordden de lokale bevolking uit en kidnapten kinderen en jonge mannen voor hun leger.

*Crisis en vredesoverleg* Voor Frelimo betekende 'vrijheid' niet alleen bevrijding van het koloniale juk, maar ook nationale eenheid, ontwikkeling en sociale emancipatie. Die politieke overtuiging bepaalde lange tijd de visie van de organisatie op de terreuracties van Renamo: die zijn niets meer dan een aanval op Frelimo's project van natievorming en ontwikkeling. Een visie op de toekomst van Mozambique was inderdaad niet het sterkste punt van Renamo: de beweging was simpelweg antisocialistisch en anti-Frelimo. Toch was Renamo meer dan een gewelddadige, a-politieke beweging die namens vijandige, buitenlandse belanghebbenden opereerde. Renamo vond een vrucht-

Zambezi, 1987: Renamo-rekruten in een trainingskamp    PAUL WEINBERG/PANOS PICTURES

bare voedingsbodem bij de traditionele Afrikaanse samenleving op het Mozambikaanse platteland. De socialistische doctrines van Frelimo vielen daar slecht; erger nog was de marginalisatie van de traditionele leiders door de communistische regering.

Dit alles leverde Frelimo nieuwe vijanden op, waarvan Renamo dankbaar gebruik maakte. De beweging beweerde oorlog te voeren namens de geesten van de voorouders, om de traditionele waarden van Mozambique te herstellen. De rebellen zouden bovennatuurlijke krachten hebben en bescherming krijgen van traditionele genezers. Telkens wanneer de rebellenbeweging een nieuwe machtsbasis wilde creëren, raadpleegde ze de traditionele leider van het gebied, die vervolgens de rechtmatige eigenaren van het land (de voorouders) toestemming vroegen. Deze vorm van indirecte controle, via traditionele leiders en religieuze sentimenten, paste Renamo op grote schaal toe. In ruil daarvoor behielden de traditionele leiders hun status.

Spoedig breidde Renamo de actieradius uit van het centrum naar de noordelijke provincies. Ook in het zuiden, het politieke bolwerk van Frelimo, doken gewapende groepen op. De humanitaire situatie in Mozambique verslechterde door de oorlog en ook door aanhoudende droogte, die in 1983 tot een wijdverspreide hongersnood leidde waardoor honderdduizend mensen omkwamen. Het socialistische regeringsprogramma bleek ondertussen steeds meer een utopie. De Mozambikaanse munt verloor bijna iedere waarde. De winkels raakten steeds leger. Hoewel de collectieve landbouw in sommige delen van het land werkte, was het in andere delen een regelrechte ramp. Halverwege de jaren tachtig was het land vrijwel failliet. Voor het eerst klopte de regering bij het Westen aan voor geld en voedsel. In ruil daarvoor eisten de donoren dat Mozambique lid werd van het IMF en de Wereldbank. Het socialistische beleid werd aangepast, en uiteindelijk in juli 1989 tijdens een partijcongres afgeschaft.

**Vredesakkoord** De belabberde situatie noodzaakte de regering de impasse van oorlog te doorbreken. De Zuid-Afrikaanse steun aan Renamo moest stoppen. Samora Machel begon daartoe onderhandelingen met Pretoria en op 16 maart 1984 ondertekenden de aartsvijanden het akkoord van Nkomati. Daarin beloofde de Mozambikaanse regering het ANC het land uit te zetten, in ruil voor het staken van Zuid-Afrikaanse steun aan Renamo. Mozambique hield zijn belofte. Al snel bleek dat de Zuid-Afrikaanse militaire inlichtingendienst doorging met de bevoorrading en de advisering van Dhlakama's leger. Toen het Mozambikaanse leger het hoofdkwartier van Renamo in Gorongosa in augustus 1985 innam, vond ze hiervoor schriftelijke bewijzen.

De Mozambikaanse betrekkingen met Zuid-Afrika raakten op een dieptepunt toen ruim twee jaar later, op zondagavond 19 oktober 1986, president Samora Machel om het leven kwam bij een mysterieus vliegtuigongeluk. De Tupolev stortte neer in het Lebombo-gebergte op Zuid-Afrikaans grondgebied, op weg van Lusaka naar Maputo. Machel's opvolger, de meer pragmatisch ingestelde Joaquim Chissano, was ervan overtuigd dat stopzetting van de internationale steun aan Renamo het einde van de oorlog zou bespoedigen. In 1987 wist de nieuwe president, gesterkt door een coalitie van Zimbabwe, Zambia, Tanzania, Angola en Botswana, Malawi ervan te overtuigen Renamo voortaan links te laten liggen. Een jaar later ontmoette Chissano de Zuid-Afrikaanse president P.W. Botha; beide leiders bliezen het Nkomati-akkoord nieuw leven in.

In juli 1990 begonnen, op initiatief van de Mozambikaanse kerken, de uiteindelijke vredesbesprekingen, die uitmondden in een staakt-het-vuren en directe onderhandelingen in Rome. Frelimo besefte dat de oorlog niet op het slagveld was te winnen. Na het uiteenvallen van de Sovjet-Unie en het einde van de Koude Oorlog nam de economische en militaire steun uit het Oostblok af. Ook Renamo was bereid tot een compromis nu de hulp van buitenaf was stopgezet. De Zuid-Afrikaanse president De Klerk stopte ook de laatste steun aan de rebellenbeweging en begon in Kaapstad gesprekken met Nelson Mandela.

Renamo schreef een politiek programma en zette tijdens de vredesbesprekingen in op een federaal Mozambique, in de hoop de macht over het centrum van het land te krijgen. Dat was onaanvaardbaar voor Frelimo; het federalisme kreeg geen plaats in het Acordo General de Paz, dat op 4 oktober 1992 werd ondertekend. Frelimo moest wel de voormalige vijand als politieke partij erkennen. Het akkoord bepaalde verder dat een speciale VN-missie, de United Nations Operations in Mozambique (Unomoz), toezicht zou houden op de demobilisatie van soldaten en rebellen, gevolgd door de oprichting van een klein Mozambikaans leger van twaalfduizend man. Ook zou de VN-operatie de terugkeer van vluchtelingen en ontheemden begeleiden en assisteren bij de voorbereidingen van de eerste democratische verkiezingen voor een nieuw parlement en president. Mozambique nam al in

november 1990 een nieuwe grondwet aan die uitgaat van een meerpartijen-
systeem, vrijheid van meningsuiting, religie en partijvorming respecteert en
de vrije-markteconomie omarmt.

## ■ Na de oorlog

Voor de wereldgemeenschap was een succesvol verloop van het Mozambikaanse vredesproces cruciaal. Niet omdat Mozambique zo belangrijk was,
maar vanwege de gelijktijdige onderhandelingen over het postapartheid-
tijdperk in Zuid-Afrika. Nieuw oplaaiend geweld in Mozambique zou het
overgangsproces in Zuid-Afrika kunnen verstoren. Bovendien waren zojuist
de vredesinspanningen van de VN in Angola mislukt; de oorlog barstte daar
opnieuw in alle hevigheid los. Geld noch moeite werden daarom gespaard
in Mozambique. De VN installeerde een troepenmacht van zevenduizend
man, gesteund door technisch en administratief personeel. Internationale
donoren stroomden toe met postconflictprogramma's en ontwikkelings-
projecten.

Al snel bleek de overgangsperiode veel te krap. Een belangrijke oorzaak
was de trage demobilisatie van oud-soldaten en rebellen. Zowel Frelimo als
Renamo waren huiverig afstand te doen van hun beste manschappen en
gaven Unomoz onvolledige informatie over de troepen die gedemobiliseerd
dienden worden. Eind september 1993 was het proces nog steeds niet in
gang gezet. Renamo stelde voor de verkiezingen, gepland voor oktober
1993, toch door te laten gaan. Dat was voor de VN onacceptabel: in Angola
had het democratiseringsproces zojuist tot hernieuwd geweld geleid.

De toenmalige secretaris-generaal van de VN, Boutros-Ghali, bracht daarop een bliksembezoek aan Mozambique om de impasse te doorbreken. Hij
dreigde de VN-operatie uit het land terug te trekken, tenzij Frelimo en
Renamo echte politieke wil toonden. Een compromis was snel gesloten.
Beide partijen beloofden hun troepen in november 2003 naar de demobilisa-
tiekampen te sturen. Uiteindelijk gebeurde dat eind januari 1994. De demobilisatie werd in mei van dat jaar afgerond.

De eerste democratische verkiezingen, waarvoor de VN maar liefst drie-
duizend waarnemers het land invlogen, vonden een jaar later plaats, in oktober 1994. De opkomst was met 87 procent van de 6,3 miljoen geregistreerde
kiezers zeer hoog. Joaquim Chissano versloeg zijn rivaal Afonso Dhlakama
ruimschoots en werd opnieuw president. Maar tot grote ontsteltenis van Frelimo deed de voormalige rebellenbeweging Renamo het opvallend goed bij
de parlementsverkiezing. Renamo won in alle provincies in het midden van
het land.

Allerlei verklaringen voor het verkiezingssucces van Renamo, zo kort na
de oorlog, deden al snel de ronde. Zo zou Renamo aan politieke steun hebben gewonnen doordat de partij na de ondertekening van het vredesakkoord
goedopgeleide mensen wist aan te trekken, die hoopten op een snelle poli-

tieke carrière. Ook had Renamo ten tijde van de verkiezingen de zeggenschap over ongeveer een kwart van het land. Buitenlandse organisaties
leverden daar noodhulp en voedsel, na goedkeuring van Renamo en niet van
de regering. Tenslotte hadden de Verenigde Staten, gesteund door andere
westerse landen en de katholieke kerk, druk uitgeoefend op Frelimo om na
de verkiezingen een coalitieregering van nationale eenheid te vormen. Ze
moedigden de bevolking aan om vooral voor Renamo te stemmen, omdat
een sterke oppositie de enige garantie voor vrede zou zijn. En het was vrede,
niet zozeer Renamo of Frelimo, waarvoor de bevolking echt koos.

*Verdeling van de politieke macht*  Ondanks het succes voor Renamo kreeg Frelimo na de
verkiezingen de meerderheid in het Mozambikaanse parlement. Bij de twee
kemphanen voegde zich slechts één nieuwe partij, de União Democrática
(Democratische Unie). De UD bleek echter niet in staat een sterke opposi-
tierol te spelen. Het parlement werd het nieuwe strijdtoneel. President Chissano weigerde een regering van nationale eenheid te vormen en stelde een
kabinet samen met uitsluitend Frelimo-ministers. Ook alle gouverneurs
waren van Frelimo, zelfs in de provincies waar Renamo had gewonnen.

Inmiddels was binnen de donorenwereld een nieuw concept populair
geworden om burgers op lokaal niveau meer zeggenschap te geven: decentralisatie. Niet alleen betrekt dit burgers op lokaal niveau nauwer bij de
staatsinstellingen, ook leek het een manier om de macht met Renamo te
delen zonder samen in een kabinet te zitten. Bovendien versterkte decentralisatie de staat in het geografisch uitgestrekte en cultureel diverse Mozambique, nodig om de geplande hervormingen door te voeren en het land te her-
bouwen na het vertrek van Unomoz in 1995.

Al in 1994 keurt het Mozambikaanse parlement een algemeen raamwerk
voor lokaal bestuur goed, tot grote tevredenheid van de donoren die samen
voor 70 procent van het nationale budget van Mozambique zorgen en daardoor een flinke vinger in de pap hebben. Alle 128 bestaande districten worden gemeentes. Begonnen wordt in 1998 met verkiezingen in 33 stedelijke
gebieden. Het wordt geen succes. Aan de vooravond besluit Renamo, evenals
vijftien kleinere partijen, de verkiezingen te boycotten. Renamo beschuldigt
de regering van grootscheepse fraude. Slechts 15 procent van de geregistreerde kiezers brengt daadwerkelijk zijn of haar stem uit. Met als onvermij-
delijk gevolg dat alle gekozen burgermeesters in de 33 gemeenten tot Frelimo behoren.

In 2003 vinden opnieuw lokale verkiezingen plaats. Opnieuw in de 33 stedelijke gebieden, want de gefaseerde invoering van het lokaal bestuur onder-
vindt flinke vertraging. Bij deze tweede lokale verkiezingen doet Renamo
wel mee, en verovert in vier steden de meerderheid in de gemeenteraad en de
burgermeestersposten.

Provincie Zambezi, 1994: het tellen van de stemmen bij een stembureau op het platteland

**Nieuwe spanningen**  Na de verkiezingen ontpopte Mozambique zich tot oogappel van de internationale gemeenschap. Maar de wereld had te vroeg gejuicht. Tijdens de lokale verkiezingen domineerde de sudderende vijandschap tussen Frelimo en Renamo. Een jaar later, toen in december 1999 voor de tweede keer de algemene verkiezingen plaatsvonden, raakten de politieke verhoudingen beneden het vriespunt. De marges werden kleiner. President Joaquim Chissano werd herkozen, maar zijn rivaal Dhlakama zat hem nu op de hielen. Maar het aantal stemmen voor Renamo groeide niet. De voormalige rebellenbeweging was teleurgesteld en beschuldigde Frelimo opnieuw van verkiezingsfraude. Op haar beurt verweet Frelimo de oppositiepartij dat ze het acht jaar jonge vredesproces trachtte te ondermijnen. De Hoge Raad onderzocht de fraudeklachten, maar stelde Renamo in het ongelijk.

Een zeven maanden lange boycot van het parlement door Renamo volgde; de oppositiepartij dreigde een alternatief parlement te vormen in de zes provincies waar ze een meerderheid behaalde. Een jaar na de verkiezingen bleken de dreigementen geen effect te hebben gehad; Renamo riep haar aanhang daarom op te demonstreren. In Montepuez in de provincie Cabo Delgado leidde de protestactie tot rellen en een bloedbad. De politie opende het vuur op Renamo-aanhangers; minstens veertig mensen kwamen om het leven, inclusief zeven politiemensen. Kort daarna stierven nog eens 83 arrestanten – die samen in een piepkleine politiecel waren gestopt – door verstikking.

Op verzoek van Renamo onderzocht een onafhankelijke commissie het gewelddadige incident. Het rapport, dat in april 2002 aan het parlement werd gepresenteerd, pakte slecht uit voor Renamo: de commissie concludeerde dat de demonstratie in strijd was met de grondwet en dat Dhlakama

achter de opruiing zat. De rapportpresentatie leidde tot een parlementaire
rel: de tweede in korte tijd. In 2000 zette Dhlakama namelijk de tweede man
van Renamo, Raul Domingos, buiten de partij. Domingos wilde echter aan-
blijven als onafhankelijk parlementariër. Maar daarmee ging Dhlakama niet
akkoord: Domingos verloor zijn lidmaatschap van Renamo en moest daarom ook in het parlement het veld ruimen. Nadat bleek dat Domingos wette-
lijk in zijn gelijk stond, maakte de Renamo-delegatie zoveel amok dat de
politie eraan te pas moest komen om het parlement te ontruimen.

*Een frisse wind?* Raul Domingos liet als onafhankelijke kandidaat voor het eerst van zich
horen tijdens de lokale verkiezingen in 2003. De voormalige spoorwegbe-
ambte maakte binnen Renamo carrière, en trad begin jaren negentig tijdens
de vredesbesprekingen in Rome op als de voornaamste onderhandelaar van
de rebellenbeweging. Om de impasse na de tweede algemene verkiezingen
in 1999 te doorbreken, accepteerde Domingos als senior-parlementariër Frelimo's aanbod om Renamo-gouverneurs aan te stellen in drie provincies.
Daarmee sloeg hij voor Dhlakama de deur dicht: deze volhardde in zijn eis
van zes Renamo-gouverneurs en zette Domingos uit de partij.

Domingos richtte een niet-gouvernementele organisatie op: Instituto
Democrático para a Paz (IPADE, Democratisch Instituut voor de Vrede).
Dat initiatief sloeg aan bij de donorgemeenschap, die hoopte op een frisse
politieke wind. De organisatie wist echter amper stemmen te halen tijdens
de lokale verkiezingen in november 2003. Ze won slechts twee zetels, in de
gemeenteraden van Beira en Dondo. Opnieuw waren de kiezers verdeeld
tussen de twee reuzen Frelimo en Renamo. De regeringspartij won in 28 van
de 33 gemeenten, inclusief Maputo.

Opnieuw betichtte Renamo Frelimo van fraude. De internationale waarnemers constateerden tijdens hun tochten langs de stembureaus wel 'onre-
gelmatigheden', maar bestempelden de verkiezingen toch als 'free and fair'.
Renamo volhardde in haar protest, met succes. Het leidde tot hertelling van
stemmen bij enkele stembureaus, waar een aantal uitslagen was 'verdwenen'. Maar de uitkomst bleef hetzelfde: de overwinning behoorde aan Frelimo. Intussen had Raul Domingos een nieuwe partij opgericht, de Partido
para a Paz, Democracia e Desenvolvimento (PDD, Partij voor de Vrede,
Democratie en Ontwikkeling), waarmee hij de strijd om de kiezers aanging
tijdens de verkiezingen voor een nieuw parlement, in december 2004.

*Wisseling van leiderschap* Twee jaar eerder, in maart 2002, kondigde Joaquim Chissano aan
zich na achttien jaar niet meer beschikbaar te stellen voor het president-
schap. Als nieuwe kandidaat schoof Frelimo Armando Emilio Guebuza naar
voren, ooit als minister van Binnenlandse Zaken de rechterhand van Samora
Machel. Dat de presidentskandidaat niet afkomstig was uit het kabinet maar
uit de partij, was niet toevallig. Het voormalige bevrijdingsfront vertoonde

# Presidentsverkiezingen sinds de burgeroorlog

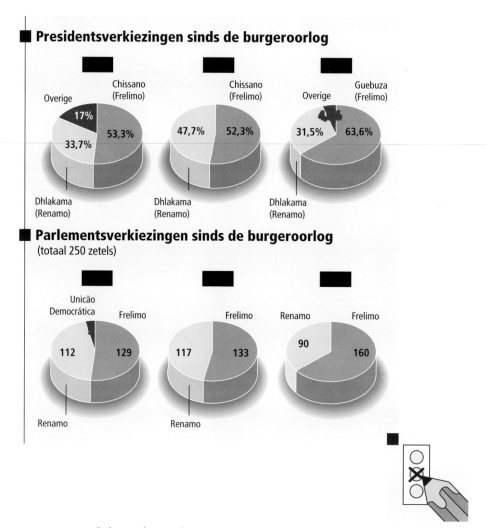

# Parlementsverkiezingen sinds de burgeroorlog
(totaal 250 zetels)

de laatste jaren scheuren: tussen de pragmatische, moderne vleugel en de oude linkse garde. De moderniseerders domineerden het kabinet (Joaquim Chissano is een van hen), maar de oude radicalen zijn invloedrijk binnen de partij.

Geleidelijk aan groeide de afgelopen jaren de kritiek op het kabinetsbeleid van Chissano. Vooral de corruptieschandalen, en de slappe maatregelen tegen de betrokkenen bevielen velen niet. Armando Emilio Guebuza werd in december 2004 gekozen tot nieuwe president van Mozambique. De hoop is dat het kabinet onder zijn leiderschap een betekenisvoller sociaal beleid gaat voeren.

Veel oppositie zal het kabinet daarbij niet krijgen. Frelimo behaalde tijdens de gelijktijdig gehouden algemene verkiezingen een historische overwinning. Renamo verloor 27 parlementszetels (en natuurlijk volgde daarop traditiegetrouw de beschuldiging dat er sprake was van fraude). De PDD en de andere 35 kleine partijen slaagden er niet in een plek te veroveren in het parlement: de kiesdrempel is 5 procent. Nog altijd zijn de verkiezingen in Mozambique een race tussen de twee reuzen Frelimo en Renamo, en wordt het stemgedrag beïnvloed door de herinneringen aan de oorlog.

**Brits of Portugees?**
Na de oorlog moet Mozambique opnieuw zijn plaats veroveren in de wereldorde, die intussen drastisch is veranderd. Mandela en het ANC zijn als overwinnaars uit de bus gekomen bij de verkiezingen in Zuid-Afrika en het nieuwe optimisme in de regio leidt tot plannen voor nauwere samenwerking. De landen in zuidelijk Afrika hervormen het oude Southern African Development Coordination Conference (SADCC) tot een economische zone. Bovendien vinden ze dat Mozambique, net als zij, lid behoorde te zijn van het Britse Gemenebest. Dat voorstel stuit op bezwaren binnen de Britse gentlemen's club, die met 1,8 miljard onderdanen een kwart van de wereldbevolking omvat. Maar toch mag Mozambique als enige niet-Britse voormalige kolonie in 1995 toetreden. Als rechtvaardiging voor het lidmaatschap voeren de voorstanders aan dat Mozambique nauw betrokken was bij het Britse Gemenebest-beleid tegen Rhodesië en tegen de apartheid in Zuid-Afrika, en daardoor verliezen leed. In 1997 creëert het Gemenebest een speciaal fonds om Mozambique daarvoor te compenseren.

De Mozambikaanse toetreding tot het Britse Gemenebest veroorzaakt een paniekreactie in Lissabon. In het verleden wist Portugal zijn kolonie in Oost-Afrika ternauwernood uit Britse handen te houden. Nu lijkt het erop dat Mozambique zich alsnog tot de Engelssprekende wereld keert. Amper een jaar later, in 1996, ziet de Portugese versie van het Britse Gemenebest het licht: de Comunidade dos Países de Língua Portuguesa (CPLP). De gemeenschap omvat alle landen waar Portugees de officiële taal is: Angola, Brazilië, Kaapverdië, Guinee-Bissau, Mozambique, Portugal en São Tomé en Principe. Oost-Timor sluit zich in 2002 bij de gemeenschap aan, na de onafhankelijkheid van Indonesië. Equatoriaal-Guinee heeft sinds juli 2004 een waarnemersstatus vanwege het Portugees creools dat in het land wordt gesproken en de nauwe culturele banden met São Tomé en Principe.

De CPLP is actiever dan het Gemenebest, dat zich vooral bezig houdt met toezicht op de mensenrechten en verkiezingen in de lidstaten. De Portugeestalige gemeenschap, met 223 miljoen onderdanen en een secretariaat in Lissabon, speelt een belangrijke rol als onderhandelaar bij een politieke crisis op São Tomé en Principe. Daarnaast start de organisatie een omvangrijke anti-aidscampagne, inclusief televisiespotjes waarin de acht presidenten het woord voeren en pleiten voor aidspreventie. Ook runt de CPLP een centrum voor de ontwikkeling van ondernemersvaardigheden in Luanda en een centrum voor openbaar bestuur in Maputo.

## 2    SAMENLEVING

*Terug naar de vrede*

'Mo-zam-bi-kanen, Mo-zam-bi-kanen,' schreeuwt de zanger door de micro-
foon, terwijl zijn jazzy band het ritme even tempert. 'Mo-zam-bi-kanen, wie
Mozambikaans is, steekt zijn hand omhoog!' Tientallen handen steken
opeens in de lucht in Bar Afrika in Maputo en zwaaien mee met de opzwe-
pende muziek. Het tafereel herhaalt zich daarna zeker tien keer, tot verve-
lens toe. Maar het enthousiasme van het publiek blijft groot. Een blik in het
rokerige zaaltje leert dat de Mo-zam-bi-kanen een gemêleerd volk zijn.
   Voor zwarte Mozambikanen is niet het Portugees maar Makhuwa, Tson-
ga, Lomwe, Ronga of een van de andere 35 Afrikaanse talen de moedertaal.
De Indiase gemeenschap, ongeveer vijftienduizend mensen groot, bestaat
uit immigranten uit Goa en Indische handelaars die zich in de 20ste eeuw
overal in Oost-Afrika vestigden. Ook zijn Chinezen als arbeiders en handelaars naar Mozambique gekomen; die gemeenschap omvat tegenwoordig
ongeveer zevenduizend mensen. Daarnaast bestaat Mozambique uit een
mengelmoes van blanke Portugezen, creoolse gemeenschappen en Swahili,
een mix van Afrikaans en Arabisch. Opvallend is dat de grote diversiteit
weinig invloed heeft gehad op de oorlog. Renamo hekelde de dominantie
van zuiderlingen in Frelimo, maar speelde meer in op regionale verschillen
dan op etnische tegenstellingen.

### ■ Socialisme en tradities
Na de onafhankelijkheid kreeg Frelimo de zeggenschap over alle onderdelen van de samenleving, van de industrie tot de overheidsadministratie. Ook
ging de machtswisseling gepaard met de invoering van een socialistische
doctrine die zorgde voor een sterke politisering van de Mozambikaanse
samenleving.
   Frelimo was plotseling overal aanwezig; de communistische revolutie
werd overal gevoeld. De ruggengraat van het systeem waren de *grupos
dinamizadores* (dynamiseringsgroepen) die overal de Frelimo-doelstellin-
gen uitlegden, collectieve arbeid aanspoorden en op afwijkende meningen
letten. De bemoeienissen zorgden voor grote moeilijkheden. Niet alleen verstoorde de politiek vaak de efficiëntie. Het beleid leidde ook tot een hiërar-
chisch systeem dat de werkrelaties niet ten goede kwam en veel weerstand
opriep. Een fabrieksdirecteur of chirurg werd in het oog gehouden door een
Frelimo-lid met een paar jaar onderwijs. Aangezien de hoogopgeleiden vaak
blanke Portugezen waren die zich hadden verbonden aan Frelimo's Mozam-

De bevolking van Mozambique vertoont een grote culturele verscheidenheid

Evangelische sekten rukken op, vooral in de steden

*Bevolking*

## Vooruitgang onderwijs, maar niveau blijft laag

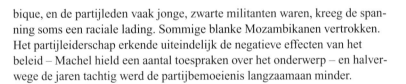

**Analfabetisme (>15 jaar):** mannen 38%, vrouwen 69%

**Kinderen die graad 5 van het basisonderwijs bereiken:**
jongens 56%, meisjes 47%

**Leraren zonder beroepsopleiding:** ca. 30%

**Leerlingen die doorstromen naar de universiteit:** 1%

Bron: UNFPA, 2004

bique, en de partijleden vaak jonge, zwarte militanten waren, kreeg de spanning soms een raciale lading. Sommige blanke Mozambikanen vertrokken. Het partijleiderschap erkende uiteindelijk de negatieve effecten van het beleid – Machel hield een aantal toespraken over het onderwerp – en halverwege de jaren tachtig werd de partijbemoeienis langzamaan minder.

*Traditioneel gezag ondermijnd*  Achteraf gezien maakte Frelimo de grootste fouten op het platteland. Hoewel veel Afrikaanse postkoloniale regeringen de politieke betekenis van traditionele leiders wilden 'neutraliseren', waren er maar weinig zo resoluut als het Frelimo-bewind. Deze houding vloeide deels voort uit de onafhankelijkheidsoorlog. Frelimo definieerde het kolonialisme breed: niet alleen de buitenlandse heerschappij, maar ook interne sociale en economische structuren die het systeem onderhielden – zoals de traditionele leiders (*régulos*), religieuze organisaties, plantagebedrijven en industrieën in handen van Portugezen of multinationals – waren daarvan onderdeel. De Portugezen lieten de traditionele maatschappij echter onaangeroerd. De koloniale regering had in de kuststeden een moderne economische sector gecreëerd; de rest van het land was daarvan buitengesloten. Op het platteland heersten familiehoofden en traditionele leiders, die opereerden volgens het gewoonterecht.

Toch bestempelde Frelimo de traditionele leiders als handlangers van het koloniale regime. Voor hen was er in de socialistische toekomst geen plaats. In de ogen van de partijleiding was het Afrikaanse traditionele leiderschap achterlijk en reactionair en vormde het een obstakel in het proces van natievorming. Frelimo kon tijdens de bevrijdingsoorlog op veel steun rekenen in de landelijke gebieden; veel dorpelingen waren echter ontsteld over de plotselinge verandering van de partij in een intolerante structuur van politieke controle. Bovendien voerde Frelimo er een progressieve politiek. Ze bevorderde de onafhankelijkheid van vrouwen en ontmoedigde polygamie, wat tegen het zere been was van de conservatieve Afrikaanse maatschappij. Die sentimenten, samen met de verslechterende economische situatie op het platteland, bleken vruchtbare grond voor Renamo toen de rebellen begin jaren tachtig steeds grotere delen van het land probeerden te infiltreren.

## ■ Religieuze comeback

God en zijn vertegenwoordigers op aarde speelden een grote rol tijdens de verkiezingen in 1994. De presidentskandidaten en politieke partijen verwezen allemaal naar het spirituele en zochten stemmen bij religieuze organisaties. En hoewel de meeste religieuze leiders zich buiten de politiek hielden, maakten sommige kerken een politieke keuze en probeerden ze het stemgedrag te beïnvloeden. Deze trend zette in de late jaren tachtig in en bereikte een hoogtepunt begin jaren negentig, met de cruciale rol die de kerken speelden tijdens de onderhandelingen tussen Renamo en Frelimo.

De band tussen politiek en religie was niet altijd zo innig, althans niet onder Frelimo. De Portugezen namen op hun veroveringstochten behalve het zwaard ook het kruis mee; zo werd het katholicisme de godsdienst van bijna een kwart van de bevolking. Het koloniale regime gaf tijdens de onafhankelijkheidsstrijd financiële steun aan moslimbroederschappen – vooral het noorden is overwegend islamitisch – in een poging bondgenoten te vinden. Maar Frelimo wilde alle religieuze sentimenten wegvagen; volgens het marxisme is religie immers opium voor het volk. Dat bleek wel uit het feit dat kerkelijke organisaties nauwelijks kritisch stonden ten opzichte van de koloniale staat. Bovendien wilde Frelimo de zeggenschap over alle maatschappelijke sectoren en daarom had het geen behoefte aan betweterige religieuze leiders.

De antireligieuze acties van Frelimo waren vrij rigoureus. De partij deporteerde Jehova's Getuigen, nationaliseerde missiescholen en kerkziekenhuizen en ontmoedigde mensen om te bidden. Toen de katholieke kerk het Frelimo-beleid openlijk bekritiseerde bereikten de spanningen een hoogtepunt. In januari 1979 lanceerde de regering een aanval: honderden kerken en moskeeën moesten hun deuren sluiten, religieus lesmateriaal werd in beslag genomen. Maar binnen een paar jaar realiseerde Frelimo zich dat het anti-religiebeleid niet vol te houden was. De regering moest oppassen dat ze geen nieuwe voedingsbodem voor de voortwoekerende oorlog creëerde en ze had bovendien hulp nodig uit het Westen, waar vrijheid van religie hoog in het vaandel stond.

De religieuze instituten kregen meer zelfvertrouwen en herwonnen terrein. Begin jaren tachtig begonnen ze te hameren op vredesbesprekingen en eisten ze hun genationaliseerde scholen en klinieken terug. President Chissano gaf in 1986 gehoor aan die eerste eis, toen hij de protestante kerken toestond contacten te leggen met Renamo. Officiële vredesbesprekingen begonnen vier jaar later in Rome, dit keer op initiatief van de katholieke kerk (in het bijzonder de bisschop van Beira). De genationaliseerde eigendommen werden in 1988 teruggegeven, een paar maanden voordat de paus Mozambique bezocht.

Sindsdien is de politieke betekenis van de religieuze instellingen alleen maar toegenomen. Wie had ooit gedacht dat president Chissano zich zou hullen in moslimgewaden, om een politieke bijkomst in een overwegend islamitisch stadje toe te spreken? De moslimbevolking, een kleine 20 procent van de Mozambikanen, eist ook zelf een steeds prominentere plaats op in de politiek. Na de verkiezingen van 1994 stelde Joaquim Chissano de islamiet José Ibraimo Abudo aan als minister van Justitie. Na de verkiezingen van 1999 kwam deze terug op dezelfde post, maar niet zonder protest. Het ministerie van Justitie lag toen al zwaar onder vuur vanwege de corruptieschandalen en het slecht functionerende justitiële apparaat. Analisten stelden dat de herbenoeming van Abudo de prijs was die Chissano moest betalen om de moslimlobby tevreden te houden. De moslimgemeenschap is invloedrijk in de zakenwereld.

In Mozambique zijn politieke partijen met een religieuze grondslag verboden. In 1998 trachtte de Partido Independente de Moçambique (Onafhankelijke Partij van Mozambique, PIMO), die wordt gedomineerd door moslims en geen parlementszetels heeft, hieraan een einde te maken. Tevergeefs: poli-

## Verbitterde geesten

Traditionele rituelen speelden na de burgeroorlog een grote rol bij het verwerken van de vele trauma's. In veel Afrikaanse culturen is gezondheid synoniem aan een harmonieuze relatie met de natuur en de voorouders. De sociale wereld, die zowel levenden als de geesten van overledenen omvat, en de fysieke wereld zijn verenigd in een grotere kosmologie. Als de harmonie verstoord raakt, komt dat door de kwade inmenging van *valoyi* (heksen) of doordat de geesten van voorouders slecht zijn gestemd door een bepaalde gebeurtenis. Ziekte wordt daarom in de eerste plaats gezien als een sociaal, en niet als een fysiek, fenomeen.

Renamo-rebellen, soldaten en ontheemden die na de oorlog terugkeerden naar hun gemeenschap, ondergingen vaak eerst *timhamba*. Deze reinigingsrituelen, die veelal plaatsvinden op de familiebegraafplaats en waarbij een dier wordt geofferd, dienen om de band met de voorouders aan te halen teneinde van hen spirituele raad en bescherming te ontvangen. Timhamba is een proces van gemeenschappelijke *healing*; een mechanisme om misstappen in

tiek en religie bleven gescheiden. De verschillende religies hebben sinds 1998 een overlegorgaan, de Conselho das Religiões em Moçambique (Raad van Religies in Mozambique, Corem). Tijdens de overstromingen in 2000 en 2001 mobiliseerde het forum haar leden (de Christelijke Raad van Mozambique, de Griekse Orthodoxe Kerk, de moslimgemeenschap, Baha'i en joodse gemeenschappen) voor gezamenlijke hulpacties.

Het kerkbezoek in Mozambique neemt nog altijd toe en er is een steeds grotere variatie aan protestanten en evangelische sekten. Tot de populairste behoort de Igreja Universal de Deus (Pentecostal kerk). De kerk, ooit begonnen als een religieuze sekte in Los Angeles en vervolgens overgewaaid naar vooral Brazilië, combineert een 'pure' christelijke leer met spirituele genezing. In Mozambique is de beweging eigenaar van een radiozender.

Een deel van de Mozambikaanse bevolking praktiseert, vaak naast het bezoeken van kerk of moskee, ook een traditioneel geloof, waarbij het vereren van voorouders en natuurgoden centraal staan.

### ■ Een einde aan de armoede?

De Mozambikaanse regering lanceerde in 2001 een nieuw plan om in een tijdsbestek van vijf jaar de meest schrijnende armoede terug te dringen. In 1997 leefde bijna 70 procent van de bevolking in absolute armoede. De omstandigheden waren het slechtst in centraal Mozambique; de provincie Sofala bleek het armoedigst. Bijna 88 procent van de bevolking daar kon nauwelijks het hoofd boven water houden, vergeleken met 48 procent van de inwoners in Maputo. De regeringsstrategie voor armoedebestrijding (Programa de Acção para a Redução da Pobreza, Parpa) wil het percentage mensen onder de armoedegrens in 2005 tot 60 procent terugbrengen. In 2010 moet de helft van de bevolking over voldoende bestaansmiddelen beschikken.

De overheid besteedt volgens het armoedeplan de komende jaren tweederde van het nationale budget aan zes prioriteiten: onderwijs, gezondheids-

het verleden en het welzijn binnen en tussen gemeenschappen te herstellen. Het opent de weg naar verzoening.

Na de oorlog waren mensen ook bang dat de geesten van gesneuvelden (*Mpfhukwa*) zouden terugkeren om hen te straffen, omdat ze niet fatsoenlijk waren begraven voor hun reis naar het hiernamaals. Verbitterde geesten kunnen voor pijn, ziekte en zelfs de dood zorgen. Zo viel de Mpfhukwa-geest van een Renamo-strijder, die op de weg van Munguine naar Manhica was omgekomen, dorpsbewoners lastig waardoor ze de weg niet meer konden gebruiken. Steeds hoorden ze een stem die hen vertelde terug te keren, of ze werden plotseling blind waardoor ze de weg niet meer konden zien. De *Tinyanga* (spiritueel medium) hield op de weg een ritueel (*ku femba*) om de geest te verdrijven. De geest maakte zich bekend en vroeg om geld en *capulanas* (traditionele kleding). Hij wilde naar huis worden gebracht en daar worden begraven. Sindsdien zijn de problemen met de weg voorbij.

zorg, infrastructuur, landbouw en rurale ontwikkeling, goed bestuur, en het financiële beleid. De vorderingen worden nauwlettend gevolgd en jaarlijks besproken in het Armoede Observatorium, dat begin 2003 werd opgericht en waarin zestig afgevaardigden, zowel van de regering als donoren en maatschappelijke organisaties, een stem hebben.

In zijn jaarlijkse toespraak tot het parlement in april 2004 verklaarde president Chissano dat de uitvoering van Parpa, het plan tegen de armoede, nu al 'enorm heeft bijgedragen aan de menselijke ontwikkeling en de vorming van een omgeving die gunstig is voor een evenwichtige, snelle en totale groei van onze economie'. Dit optimisme was grotendeels gebaseerd op het Nationale Huishoudonderzoek, dat het Mozambikaanse Bureau voor de Statistiek in 2003 hield. In vergelijking met hetzelfde onderzoek zes jaar eerder was het niveau van absolute armoede gedaald met 15 procent; 54,1 procent leeft nog onder die grens. De overheidsstrategie had de doelen dus al bijna gehaald.

Maar de regionale effecten in de aanpak van de armoede verschillen enorm. In de provincies Tete en Sofala is de absolute armoede teruggebracht tot respectievelijk 60 en 36 procent, maar in Inhambane leefde 80 procent van de bevolking in 2003 nog altijd onder miserabele omstandigheden.

*Onderwijs en gezondheidszorg*  De modernisering onder Frelimo begon met grootschalige alfabetiseringscampagnes en pogingen om het onderwijs toegankelijk te maken voor iedereen. Het nieuwe beleid was succesvol. In de eerste vijf jaar na de onafhankelijkheid leerden een miljoen Mozambikanen lezen en schrijven en daalde het percentage analfabeten spectaculair: van 95 procent in 1975 tot 75 procent in 1981. Het aantal kinderen op de basisschool verdubbelde tot ruim 1,4 miljoen in 1981. Ook de universiteit Eduardo Mondlane telde sinds het begin van de jaren tachtig meer Afrikaanse studenten, bijna tweeduizend in 1983.

In de gezondheidszorg zette de regering een gelijksoortige campagne op. De koloniale medische zorg was net als het onderwijs in de eerste plaats gericht op de Portugese minderheid en raakte na de onafhankelijkheid vrijwel geheel verstoken van artsen. Frelimo creëerde een netwerk van simpele

## Meer meisjes naar school

Extra aandacht gaat de laatste jaren uit naar de achterstand van meisjes in het onderwijs. Dat beleid werpt de eerste vruchten af. Ging in 1999 nog maar 43 procent van de meisjes naar school, vijf jaar later was dat gestegen tot 46 procent. Ook zijn er meer vrouwelijke leerkrachten gerekruteerd en opgeleid: zij vormen nu bijna een kwart van het onderwijzersbestand. Maar nog steeds is er veel schooluitval: in 2003 maakte bijna 32 procent van de meisjes de school af, tegen ruim 48 procent van de jongens. Door die achterstand zijn meisjes minder goed in staat een redelijk bestaan op te bouwen.

Ook de lesprogramma's worden nu verbeterd en beter toegerust op de belangen van

gezondheidsposten, inclusief verpleegkundigen en een apotheek met basis-geneesmiddelen, in alle uithoeken van het land. De nadruk kwam te liggen op voorlichting en preventie. Grootschalige landelijke inentingscampagnes moesten Mozambikanen vrijwaren van pokken, tetanus en mazelen. Maar de kosten van gratis onderwijs en gezondheidszorg vormden een grote aanslag op Frelimo's budget. De vooruitgang stokte. De doodslag voor de ambitieuze maatregelen kwam toen de aanslagen van Renamo op scholen en gezondheidsposten begonnen. Een decennium later was 60 procent van de bijna zesduizend basisscholen vernietigd. Meer dan vierhonderd leraren waren vermoord of gewond geraakt. Ook in de gezondheidszorg was de ver-woesting groot. Tegen het eind van 1988 had Renamo 877 gezondheidspos-ten vernietigd of tot sluiting gedwongen, 46 procent van het totale netwerk.

De wederopbouw van het onderwijs en de gezondheidszorg kon pas na de oorlog beginnen. Het proces verloopt langzaam. Nog altijd is de meerder-heid van de Mozambikaanse bevolking analfabeet. Ruim de helft van de kinderen tussen de 6 en 12 jaar gaat niet naar de basisschool. Bovendien is de kwaliteit van het basisonderwijs slecht. De situatie in de gezondheids-zorg is niet veel beter. Amper 40 procent van de bevolking heeft toegang tot klinieken, artsen en medicijnen. Ook veilig drinkwater is niet vanzelfspre-kend voor bijna de helft van de bevolking. Daarnaast eisen slechte voeding en ziekten zoals malaria en tuberculose en aids hun tol.

*HIV/aids*

De oorlog in Mozambique vormde een kunstmatige barrière voor de ver-spreiding van het virus dat aids veroorzaakt. Nu het weer mogelijk is door het land te reizen, vluchtelingen zijn teruggekeerd uit de buurlanden waar de besmettingsgraad al hoog was en de prostitutie langs de route van vracht-wagenchauffeurs is opgeleefd, is ook in Mozambique de aidsepidemie in aantocht. De besmettingsgraad varieert overigens sterk, en ligt in de grote steden veel hoger dan op het platteland.

Eind 2003 waren er volgens UNAIDS in Mozambique 1,3 miljoen men-sen seropositief, 12,2 procent van de bevolking. Het aantal Mozambikanen dat overleden is aan de gevolgen van aids bedraagt al minstens 110 duizend. Slechts 2.840 aidspatiënten kregen in juni 2004 aidsremmers, terwijl 190

meisjes. Er komen nieuwe, 'meisjes-vriendelijke' schoolboeken en binnen de landelijke en provinciale onderwijsinstanties zijn speciale eenheden opgezet die de onderwijskansen van meisjes moeten verbeteren. Met ingang van 2005 wordt geen schoolgeld meer gevraagd, waarmee een barrière voor deelname aan onderwijs wordt geslecht.

De komende jaren moet er nog veel gebeuren om de situatie te verbeteren, variërend van betere planning, het opzetten van voedingsprogramma's, het verbeteren van de veiligheid op scholen om seksueel misbruik en verspreiding van HIV/aids te voorkomen en het opleiden van meer vrouwen tot leerkracht. Buitenlandse donoren geven veel steun aan de onderwijs-sector in Mozambique.

Posters als deze hangen op bijna alle openbare plekken in Maputo en andere steden

## Veilig vrijen

Veilig vrijen blijft een gevoelig onderwerp in Mozambique. Begin september 2004 liet de nationale omroep beelden zien van mensen in het zuiden, die demonstratief condooms weg-wierpen die de gouverneur van de provincie Gaza net had uitgedeeld. In Mozambique wordt al jaren campagne gevoerd voor het gebruik van condooms, het zekerste middel om besmet-ting met HIV te verhinderen. De vraag stijgt, maar de weerstand ertegen blijft taai.

De Mozambikaanse regering wil jaarlijks zo'n 25 miljoen gratis condooms verdelen. De Amerikaanse organisatie Population Services International (PSI) verspreidt ook nog eens 16 miljoen rubbertjes. En er zijn nog andere lokale en internationale organisaties en privé-fir-ma's die de Mozambikaanse bevolking aan het nodige materiaal helpen om veilig te vrijen. Volgens Mouzinho Saide, de directeur van het Nationale Programma voor de Strijd tegen Aids, neemt de vraag naar condooms in Mozambique toe. 'Meer mensen raken ervan door-drongen dat aids ernstig moet worden genomen.' NGO's gebruiken onder meer hoorspelen op de radio, straattheater en dansvoorstellingen om het belang van condoomgebruik te onderstrepen. Voorlichters trekken naar de dorpen om condoomgebruik bespreekbaar te maken en demonstraties te geven.

Toch blijven heel wat Mozambikanen doof voor het pleidooi voor veilig vrijen. Volgens José Alho, de marketing directeur van PSI, heeft dit soms meer met culturele weerstanden te maken dan met een gebrek aan informatie. Sommige mannen associëren condooms met bor-deelbezoeken – in een liefdesrelatie is er volgens hen geen plaats voor. Dan is er het moeilijk uitroeibare vooroordeel dat condooms het genot verminderen. Op het platteland speelt ook onwetendheid een grote rol: in sommige streken gaan zelfs geruchten dat condooms aids veroorzaken.

Maar de Mozambikaanse regering heeft goede hoop dat de weerstand uiteindelijk groten-deels zal verdwijnen. De Nationale Aidsraad heeft een plan opgesteld dat ervoor moet zor-gen dat tegen 2007 de helft van de seksueel actieve bevolking condooms gebruikt, oplopend tot 80 procent aan het eind van het decennium. Voor risicogroepen als prostituees en vrachtwagenchauffeurs wordt gemikt op nog hogere percentages.

duizend mensen die behandeling nodig hadden. Behalve een economische ramp – Mozambique is een groot deel van de economisch actieve generatie aan het verliezen – heeft de aidsepidemie ook ingrijpende sociale gevolgen. Zo waren eind 2003 bijna een half miljoen kinderen een ouder of beide ouders als gevolg van aids kwijtgeraakt. Men verwacht dat het aantal zal stijgen tot achthonderdduizend in 2006. Tegen die tijd zal 16 procent van de bevolking seropositief zijn. De levensverwachting zal dalen tot nog geen 36 jaar in 2010. De regering, donoren, kerkelijke instanties, particuliere organisaties en ook het Mozambikaanse bedrijfsleven werken samen aan preventie en voorlichting, in de hoop het tij nog te keren.

## ■ Kritische stemmen

Sinds de beëindiging van de burgeroorlog is de mensenrechtensituatie in Mozambique verbeterd en is het land een stuk democratischer geworden. Er is politieke ruimte gecreëerd voor de vorming van alternatieve partijen, onafhankelijke organisaties, burgerinitiatieven en onafhankelijke media. Toch blijft de staat erg gecentraliseerd en ligt de politieke macht vrijwel geheel bij Frelimo. Bijna alle wetsvoorstellen die aan het parlement worden voorgelegd komen van de regering. Aangezien de partij ook de meerderheid heeft in het parlement, is er in de praktijk nauwelijks sprake van een controlerende functie. De verkiezingen in december 2004 hebben daar niets aan veranderd.

## Cultuur als wapen tegen aids

Noah Meli is seropositief maar hij wil dat niet toegeven. De *soap*-figuur sterft aan het begin van *Heart & Soul*, waarna zich in zes delen een aangrijpend drama ontvouwt. De soapserie was in twintig Afrikaanse landen, waaronder Mozambique, te zien op de televisie en te horen op de radio. De initiatiefnemers, waaronder de VN en de BBC, slaan de spijker op de kop: de boodschap van de soap blijkt goed over te komen. De kijkers steken er meer van op dan van de effectloze publiekscampagnes die regeringen en internationale organisaties sinds halverwege de jaren tachtig voeren. Soapopera's, en ook theater en muziek, blijken doeltreffende middelen in Afrikaanse landen om voor te lichten over de gevaren van onveilige seks. De kijkers identificeren zich met de hoofdfiguren, het onderwerp gaat leven en gedragsveranderingen vinden daadwerkelijk plaats: een les uit de advertentiewereld.
Verschillende Afrikaanse landen hebben die strategie overgenomen. In Mozambique ging *Só a vida oferece flores* (Alleen het leven biedt bloemen) in 1995 in première; het verhaalt over een ontrouwe echtgenoot die na een van zijn avontuurtjes seropositief blijkt te zijn. Het toneelstuk van theatergroep Mutumbela Gogo werd zo populair dat de producenten er eveneens een *radio-novella* in tien lokale talen, een televisieproductie en een muziekvideo van hebben gemaakt. Het toneelstuk zelf werd in de loop der jaren maar liefst 2.700 keer opgevoerd. Daarnaast werd de radiojingle *Só com JeitO* (Alleen met Stijl) een hit in Mozambique. De muziek hoorde bij een reclamecampagne voor JeitO, een merk condooms dat voor 2 dollarcent wordt verkocht.

Dakloze in Maputo

Ook is het justitiële apparaat nog zwak, hoewel de afgelopen jaren hervormingen zijn doorgevoerd. Het ministerie van Justitie en de rechtbanken hebben een groot tekort aan goed opgeleid personeel en beschikken over weinig geld. Het vertrouwen in de politie is minimaal. En dat is niet helemaal onterecht. Tussen 1990 en 1998 slaagde de politie er in slechts één op de drie gerapporteerde misdaden op te lossen. En maar net iets meer dan de helft van de bijna veertienduizend criminele zaken die bij de rechtbank aanhangig werden gemaakt, werd daadwerkelijk behandeld. Slachtoffers van misdrijven hebben in Mozambique dus maar een kleine kans ooit gerechtigheid te krijgen. De matige politieprestaties en het zwakke rechtssysteem spelen de corruptie in de kaart.

*Strijd tegen corruptie* 'Samen tegen corruptie' is de slagzin van de eerste anticorruptiecampagne in Mozambique. Dagelijks krijgen televisiekijkers en radioluisteraars les in mondigheid met korte informatieve uitzendingen. 'Als je weet dat een ambtenaar geen hoge administratiekosten mag vragen om jouw grond te registreren en dat je de politieagent geen boete hoeft te betalen enkel als je je identiteitskaart bent vergeten, kun je die rechten afdwingen,' zei Alberto da Barca, directeur van de organisatie Ética Mocambique die de campagne opzette, in een interview met het maandblad *Internationale Samenwerking*. 'Het is dringend nodig dat de Mozambikanen opkomen tegen corruptie.' Corruptie in de publieke sector komt in Mozambique nog veelvuldig voor. Met name het lokale bestuur in de provincies en gemeentes heeft te leiden onder het gebrek aan goed opgeleid kader. Voor velen is het vragen van een extra vergoeding niet meer dan een overlevingsstrategie. Zoals bij de lagere ambtenaar, die van zijn karige salaris geen gezin kan onderhouden. Of een leraar die geld vraagt in ruil voor een plek in de schoolbanken; de agent die betaald moet worden om geen bon uit te schrijven. In het bedrijfsleven vergroot een som geld onder de tafel de kans op een openbare aanbesteding. De verhalen over steekpenningen en zichzelf verrijkende politici en ambtenaren leiden tot grote consternatie binnen de donorgemeenschap, die nog steeds de helft van Mozambique's nationale budget betaalt. Eén geval in het bijzonder bezorgde Mozambique een slechte naam: het corruptieschandaal in de financiële wereld.

Mozambique privatiseerde halverwege de jaren negentig onder druk van het IMF en de Wereldbank zijn banken, maar zonder voldoende regelgeving en toezicht. De overgangsfase maakte de financiële wereld kwetsbaar voor misbruik; enkele hooggeplaatste personen zouden hoge leningen hebben afgesloten maar betaalden niets terug. Anderen fraudeerden met ongedekte cheques. De banken raakten in een crisis. Om bankfaillissementen en daarmee een grootschalige malaise te voorkomen moest de overheid opdraaien voor de kosten van de sanering van de banksector. De schade bedroeg 144 miljoen meticais (7 miljoen euro). Twee van degenen die de corruptie hadden aangekaart werden vermoord: journalist Carlos Cardoso, oprichter en hoofdredacteur van het dagblad *Metical*, en bankmanager António Siba Siba Macuacua.

Nog altijd is de anti-corruptiestrijd niet zonder gevaar. Maar het onderwerp is bespreekbaar geworden en de overheid onderneemt actie. De in mei 2004 aangenomen anti-corruptiewet biedt klokkenluiders een betere bescherming: iemand die een corrupte daad aan de kaak stelt, kan daarvoor op zijn werk niet bestraft worden. Ook zijn accountants verplicht elk vermoeden van fraude door te geven aan de anticorruptie-eenheid van de procureur-generaal. Mozambique boekte tevens vooruitgang met de sanering van de financiële sector en een beter toezicht, zowel door de Centrale Bank als binnen de geprivatiseerde banken zelf. De resultaten van de probleembanken waren in 2003 positief en de overheid wil zich de komende jaren geleidelijk geheel terug te trekken uit de bankwereld.

*Persvrijheid*       Voor de moord op journalist Carlos Cardoso werden zes personen veroordeeld. Het was voor het eerst in Afrika dat zware gevangenisstraffen werden opgelegd voor de moord op een journalist. Maar de opdrachtgevers bleven buiten beeld. En de hoofdverdachte wist tot twee keer toe uit de gevangenis te ontsnappen.

Toch hebben de Mozambikaanse media sinds deze affaire hun angst afgeworpen om heikele kwesties aan de kaak te stellen. Kolommen werden volgeschreven over de vreemde omstandigheden rondom de ontsnapping van de hoofdverdachte. Zondagskrant *Domingo*, die bekend staat als pro-Frelimo, eiste zelfs het aftreden van de minister van Binnenlandse Zaken. De nieuwe onafhankelijkheid komt na een tijdperk van strikte controle door de marxistische eenpartijstaat, waarbij de minister van Informatie zich gedroeg als hoofdredacteur van alle kranten. Het ministerie had een speciale commissie ingesteld die elke week bijeenkwam om te bepalen wat in de media mocht verschijnen. De nieuwe grondwet uit 1990 erkende de persvrijheid voor het eerst, al was de situatie in de aanloop naar de eerste democratische verkiezingen in 1994 gespannen. Salomao Moyana, hoofdredacteur van de krant *Savana* werd regelmatig met de dood bedreigd, en ook na de moord op Cardoso waren er bedreigingen. Het kantoor van Savana moest tussen december 2000 en januari 2001 driemaal worden ontruimd vanwege bommeldingen.

Een van de uitdagingen voor Mozambikaanse journalisten is het verbeteren van de kwaliteit en de diepgang van hun berichtgeving. Dat de onderzoeksjournalistiek in Mozambique op een laag pitje staat, komt vooral door het gebrek aan degelijke journalistieke opleidingen en de karige salarissen, waardoor er weinig motivatie is voor diepgravend onderzoek. De regering heeft daarom samen met de VN-organisaties Unesco en UNDP een ontwikkelingsplan voor de media opgesteld, het eerste en tot nu toe enige in de regio zuidelijk Afrika, dat tot 2006 loopt. Het plan beoogt de radiostations in lokale gemeenschappen (*community radio*), de onafhankelijke geschreven pers en de dependances van publiekszender Rádio Moçambique in de provincies te versterken. Daarnaast probeert men het internetgebruik te stimuleren en uit te breiden.

Eén struikelblok voor de persvrijheid lijkt moeilijker op te lossen: het gebrek aan geld waar veel media mee kampen. De regering presenteerde in juni 2004 een nieuwe mediawet, die door journalisten werd bejubeld als een van de meest progressieve in zuidelijk Afrika. Maar de vreugde werd getemperd door de torenhoge productiekosten, waardoor de pers de aangeboden vrijheid niet volledig kan benutten.

*Burgers op de barricade*   De grondwet uit 1990 luidde een nieuw tijdperk in van meerpartijendemocratie en pluriformiteit. Maatschappelijke organisaties zouden de betrokkenheid van burgers bij de wederopbouw vergroten en de sociaal-economische ontwikkeling in een sneltreinvaart kunnen brengen, geloofde de Frelimo-regering. Als gevolg groeide het aantal Mozambikaanse NGO's in hoog tempo. Eind 2004 telde Mozambique officieel 619 maatschappelijke organisaties, variërend van lokale actiegroepen die zich bekommeren om het milieu of de corruptie tot *grassroots* organisaties die steun geven aan achtergestelde gemeenschappen op het platteland. Het aantal lokale organisaties is in werkelijkheid groter aangezien vele niet geregistreerd zijn en een informeel karakter hebben.

De civiele samenleving in Mozambique is dus nog jong. In de socialistische periode stond het burgerleven in dienst van de marxistische revolutie. De staat organiseerde de maatschappelijke organisaties. Zo maakte Frelimo de vrouwenemancipatie tot een van de speerpunten in haar beleid. De Organização da Mulher Moçambicana (OMM), al tijdens de onafhankelijkheidsstrijd in 1973 opgericht, was de sterkste van de massaorganisaties onder de vleugels van de partij. De OMM-leden namen een prominente plaats in binnen de dynamiseringsgroepen en de geledingen van Frelimo. De vrouwenorganisatie organiseerde crèches in bedrijven, landbouwcoöperaties voor vrouwen en voorlichtingsbijeenkomsten over voorbehoedmiddelen.

De OMM-leden maakten gretig gebruik van de nieuwgewonnen vrijheid in 1990: de vrouwenorganisatie weekte zich los van Frelimo en ging zelfstandig verder. Illustratief voor de verhoudingen in het land is echter dat OMM al binnen enkele jaren de banden met Frelimo weer aanhaalde. Buitenlandse financiers van de programma's van de vrouwenorganisatie – zoals Novib in Nederland – trokken zich daarop terug. Nog steeds is de OMM de grootste vrouwenorganisatie met een uitgebreid netwerk door het hele land.

Een andere belangrijke organisatie is Fundação para o Desenvolvimento da Comunidade (FDC), die via trainingen de grassroots organisaties probeert te versterken. Grupo Moçambicano da Divida (GMD) is een coalitie van vakbonden, (boeren)organisaties en onderzoeksinstituten die zich bezighouden met een oplossing van het schuldenprobleem. De coalitie speelde een belangrijke rol in de lobby voor volledige schuldkwijtschelding gedurende en na de overstromingen. Ook is GMD een belangrijke deelnemer aan het Poverty Oservatory, het jaarlijks overleg tussen overheid, maatschappelijk middenveld en sociale partners over de voortgang van de armoedebestrijding. Andere belangrijke particuliere organisaties zijn de Liga Mocambicana dos Direitos Humanos, UNAC, Conselha Cristao de Mocambique, Etica en ORAM.

In veel gevallen zijn het westerse NGO's die de projecten van de lokale organisaties financieren. Volgens sommigen zijn de Mozambikaanse organisaties daardoor te afhankelijk van de donoren, waardoor hun beleid eerder de westerse ontwikkelingsmodellen weerspiegelt dan de lokale behoeften. In elk geval spelen de lokale organisaties een steeds belangrijkere rol in Mozambikaanse samenleving. Dat bleek ook uit het feit dat de nieuwe voorzitter van de Nationale Verkiezingscommissie (CNE), de toezichthouder op de verkiezingen, in 2003 uit hun rijen afkomstig was.

# 3    ECONOMIE

*Oogappel van de donorindustrie*

Ordelijk staan ze op een rij: de sportieve stappers, hooggehakte pumps en de elegante damesschoenen. De schoenenwinkel van Nobre Meque bevindt zich in Maputo. Niet in een van de winkelruimtes, maar midden op het plein voor het oude Portugese fort. Om de veertien dagen reist de dertigjarige verkoper naar Nelspruit of Johannesburg om afgedankt schoeisel op te kopen. Na een poetsbeurt kunnen ze er in Mozambique nog even tegenaan. En voor Nobre Meque betekenen de schoenen eten en onderdak. Met de opbrengst van zijn handeltje kunnen hij, zijn vrouw en baby net overleven in de stad waar bijna een kwart van de inwoners werkloos is. Miljoenen andere Mozambikanen moeten hun eigen werkgelegenheid creëren binnen de informele economie, en verdienen daarmee hoogstens een paar dollar per dag.

Dat Mozambique nog steeds behoort tot de armste landen ter wereld komt door een combinatie van factoren, zoals de schok van de dekolonisatie, de ontwrichting in de regio door de internationale boycot en de stuiptrekkingen van de apartheidsregimes in Zuid-Afrika en Rhodesië, en de langdurige burgeroorlog. Sinds het begin van de jaren negentig kruipt de Mozambikaanse economie uit het dal. De economische groei sindsdien is zelfs bijna ongeëvenaard in de wereld, maar is mede

Schoenen op het plein

zo groot omdat het startniveau op bijna nul lag. Aan de groei wordt bijgedragen door de politieke stabiliteit sinds 1992, de economische hervormingen en de substantiële steun van buitenlandse donoren. Met zo'n 210 dollar
per jaar is het gemiddeld inkomen per hoofd van de bevolking nog altijd
zeer laag, maar het is wel ruim twee keer zo hoog als in het midden van de
jaren negentig. Ook andere economische indicatoren wijzen erop dat in
Mozambique sprake is van duurzaam economisch herstel.

## ■ Socialisme en oorlog

Na de onafhankelijkheid nam de Frelimo-regering de koloniale economie
totaal op de schop en richtte zich, geheel in socialistische stijl, op de collectieve landbouw en industrie. Mozambique beschikte in de koloniale tijd al
over een relatief goed ontwikkelde industrie, vooral in de levensmiddelen-
en textielsector. Ook was de economie tamelijk divers en de potentie voor
export groot. Tot de Portugese erfenis behoorde een goed ontwikkeld systeem van hydro-elektriciteit. Ook was de stedelijke bourgeoisie groeiende.
De Portugezen, die massaal vertrokken aan de vooravond van de machts-
overdracht, lieten echter enorme gaten achter. Niet alleen namen zij alles
mee wat ze mee konden nemen, ook waren fabrieken opeens verstoken van
managers en lag de handel zo goed als stil.

Frelimo richtte zich daarom in de eerste jaren vooral op herstel van de
bestaande industrie, waarmee zij grote vorderingen maakte. Alle sectoren
van de economie, tot aan de buurtwinkels toe, kwamen onder staatsbestuur.
In de steden richtte de regering buurtcoöperatieven op. De Portugese Nationale Overzeese Bank werd genationaliseerd en omgedoopt tot Bank van
Mozambique. Ook trachtte Frelimo de grip van Portugezen en Aziaten op de
commercie te breken, ondanks het formele non-raciale beleid. Alles moest
onder staatscontrole worden gebracht.

*Collectieve landbouw*   Op het platteland werden de dorpen, waar de boeren op traditionele
wijze landbouw bedreven, vervangen door coöperatieve gemeenschappen.
De verlaten Portugese plantages werden omgevormd tot grote staatsland-
bouwbedrijven, waarin Frelimo fors investeerde. Teveel, zo zou later blijken,
want de inkomsten van de staatsbedrijven vielen tegen; de enorme ondernemingen vroegen om ervaren managers die Mozambique ontbeerde. Sei-
zoensarbeiders waren evenmin te vinden: herinneringen aan de Portugese
dwangarbeid weerhielden lokale boeren ervan emplooi te zoeken bij de
staatsbedrijven. Ook de vorming van dorpscoöperaties (*aldeias communais*),
geïnspireerd op het Ujamaa-dorpensysteem in Nyerere's Tanzania, was geen
succes. De plattelandsbewoners verzetten zich hevig tegen het gedwongen
samenwonen in de socialistische dorpen en zagen geen brood in de coöperatieve landbouw. De plaatselijke bevolking bleef waar mogelijk de eigen landbouw bedrijven en de collectieve akkers kwamen nooit echt van de grond.

Al gauw concludeerde Frelimo dat het socialistische getinte landbouwbeleid een mislukking was. De regering schroefde de investeringen in de staatslandbouw terug en liet het dorpenbeleid los. De kleine, individuele boeren zouden voortaan steun krijgen, beloofde Frelimo. Hoewel het land eigendom bleef van de staat, konden families en gemeenschappen pachtrechten krijgen. Voorafgaand aan de definitieve goedkeuring werden tot in het kleinste dorp bijeenkomsten georganiseerd: iedereen kon commentaar geven op het wetsvoorstel. Maar de koerswijziging in de landbouwpolitiek kwam te laat: de oorlog greep steeds verder om zich heen en verstoorde het leven op het platteland. Mensen ontvluchtten de continue terreurcampagnes van Renamo. Boeren kregen hun producten nauwelijks meer naar de markt; gezaaid werd er bijna niet meer.

De economie had al flinke klappen gekregen door de politieke strubbelingen in buurland Rhodesië. De Verenigde Naties kondigden een boycot af tegen het blanke regime, waardoor de Mozambikaanse havens geen Rhodesische productie meer te verwerken kregen. Belangrijker nog als oorzaak voor de economische malaise was de binnenlandse oorlog. De aanhoudende gevechten met Renamo maakte de aanvoer van agrarische grondstoffen voor de industrie in de steden praktisch onmogelijk. Bovendien lanceerden de rebellen een grootscheepse aanval op economische doelen. De Limpopo-spoorlijn, die van Maputo naar Harare liep, moest in 1984 worden gesloten. De Beira-corridor was niet meer veilig, hoewel die met alle macht werd opengehouden, en ook de spoorlijn van Maputo naar Tete kwam onder vuur te liggen. Renamo blies in 1986 de brug over de Zambezi op waarmee de verbindingen met Malawi werden verbroken. Als gevolg verdiende Mozambique in 1985 amper een miljoen dollar aan de doorvoer van goederen van en naar de buurlanden, terwijl de inkomsten aan de vooravond van de onafhankelijkheid honderd keer zoveel bedroegen.

## ■ Crisis en donoren

Begin jaren tachtig balanceerde Mozambique op de rand van de afgrond. In 1983 waren alle deviezen op, waardoor het betalen van rente en aflossing van de schulden onmogelijk werd. In januari 1984 was het land praktisch failliet en verzocht de regering de schuldeisers de betalingsregelingen te herzien. De economische crisis dwong Mozambique een beroep te doen op internationale instellingen. Daarvoor moest het de socialistische ideologie, die in de praktijk toch al niet levensvatbaar bleek, inruilen voor het kapitalisme en de bijbehorende vrijemarkteconomie. De westerse donoren eisten eveneens dat Mozambique zich, in ruil voor hulp, zou aansluiten bij Wereldbank en IMF en een pakket structurele aanpassingen zou accepteren. Na heftige discussies ging de Mozambikaanse regering in 1987 overstag en presenteerde het Programa de Reabilitação Económica.

Het PRE voorzag in de ontmanteling van de staatsgeleide economie. Er kwam een einde aan de subsidies aan staatsbedrijven, die tot dan toe eenderde van de staatsbegroting opslokten. Ook ging het mes in de subsidies op basislevensbehoeften en werd de kunstmatig hooggehouden metical ten opzichte van de dollar drastisch gedevalueerd. Voor IMF en Wereldbank gingen de maatregelen weliswaar nog niet ver genoeg, maar Mozambique kreeg wel uitstel van betaling van de Club van Parijs, het samenwerkingsverband van westerse schuldeisers.

*Effecten van het herstelprogramma* In de beginjaren van het economisch herstelprogramma besteedde de Mozambikaanse regering de stroom ontwikkelingshulp en leningen uit het Westen gedeeltelijk aan de invoer van consumptiegoederen en deels aan de aankoop van grondstoffen voor de industrie. Die maatregelen zorgden voor een opleving in de productie, maar die was slechts van korte duur. De devaluaties van de metical hadden een enorme inflatie tot gevolg, zonder dat de lonen meestegen. Bijna niemand kon de ingevoerde goederen betalen; de zaken gingen slecht.

Aangezien de opleving – de economie groeide in 1990 met ongeveer 5 procent – vooral was gefinancierd met leningen, steeg de Mozambikaanse buitenlandse schuld tot bijna 5 miljard dollar in 1994. Dat was 367 procent van het BNP; daarmee had Mozambique na Nicaragua de zwaarste schuldenlast ter wereld. De export bracht in 1993 ongeveer 132 miljoen dollar op, terwijl het land dat jaar 350 miljoen dollar moest besteden aan afbetaling van de schulden. Het terugdringen van de inflatie en het aanmoedigen van de (landbouw)productie werden tegengewerkt door de burgeroorlog, die de infrastructuur verwoeste en bijna alle gebieden buiten de steden onveilig maakte.

Intussen kelderde de levensstandaard van de Mozambikanen door alle overheidsbezuinigingen; het verlies aan koopkracht was dramatisch. In 1989 leefde een kwart van de bevolking – vooral in de stedelijke gebieden – volgens hulporganisaties in absolute armoede. Toch hadden de politiek-economische omwentelingen wel een gunstig effect: handel werd weer mogelijk en de landbouwproductie trok aan. Maar opnieuw waren het de internationale financiële instituten die de economische opleving financierden. Honderden miljoenen werden door de internationale gemeenschap na ondertekening van het vredesakkoord ter beschikking gesteld, in de vorm van sanering van oude schulden en met nieuw geld.

*Opnieuw gekoloniseerd?* Sinds de toetreding tot het IMF is Mozambique een van de meest hulpafhankelijke landen ter wereld. Tussen 1990 en 1995 ontving het land per inwoner ruim 80 dollar aan ontwikkelingshulp van westerse landen, de Europese Unie en internationale organisaties. De hulp van particuliere organisaties is daar nog niet eens bijgeteld. De hulp overtrof zelfs het gemiddelde inkomen per hoofd van de bevolking, dat volgens de Wereldbank in diezelfde periode met gemiddeld 90 dollar het laagste ter wereld was. Het was dus niet zozeer de binnenlandse productie, maar de officiële ontwikkelingshulp die de economie draaiende hield.

Vanaf de ondertekening van het vredesakkoord tot aan de verkiezingen twee jaar later regeerde de VN in de praktijk over Mozambique. Belangrijke regeringsfuncties, variërend van de demobilisatie van oud-strijders tot de terugkeer van vluchtelingen en de coördinatie van noodhulp, werden door de internationale organisatie uitgevoerd.

De westerse donorlanden en NGO's verdeelden regio's en sectoren onder elkaar – vaak in onderlinge concurrentie – en startten een duizelingwekkend aantal projecten, ingevuld volgens hun eigen ontwikkelingsfilosofie. Mozambique raakte alle controle over de buitenlandse geldstromen kwijt.

Critici stelden dat het naoorlogse Mozambique opnieuw werd gekoloniseerd. De speciale afgezant van de Verenigde Naties, de Italiaan Aldo Ajello, die vanaf 1993 de leiding had over de Unomoz-operatie, zou zich gedragen als een koloniale gouverneur. Bovendien verstoorde de aanwezigheid van de VN de economie. De internationale organisaties betaalden salarissen waar de regering niet tegen op kon. De ontwikkelingswerkers zorgden weliswaar voor een sterke stijging van de vraag naar goederen en diensten in de Mozambikaanse markt, maar aangezien zij weer zouden vertrekken was de toename van het BNP slechts tijdelijk.

Toch zette de Mozambikaanse regering na de verkiezingen in 1994 al haar bedenkingen over de ontwikkelingsindustrie opzij. Daarmee trad pas echt het tijdperk aan van, zoals de Britse journalist en onderzoeker Joseph Hanlon in een artikel schrijft: *'een vorm van centrale planning waarvan de Mozambikanen in hun zogeheten socialistische periode niet durfden te dromen. De ergste centrale planners zitten in Washington, de hoofdstad van de zogenaamde vrije markt. De Wereldbank en het IMF leggen gedetailleerde beleidslijnen op aan Mozambique, waarbij wordt vergeten dat het land ook nog zoiets als een parlement heeft.'*

Nog steeds is Mozambique favoriet bij de internationale ontwikkelings-

## Dromen van Zuid-Afrika

Net als in het koloniale verleden dromen veel Mozambikanen nog altijd van een baan in Zuid-Afrika om aan de armoede in eigen land te ontsnappen. In 2003 werkten meer dan vijftigduizend Mozambikanen volgens overheidsinformatie in de Zuid-Afrikaanse mijnen en bijna dertigduizend in de landbouw. Dat aantal zal in de toekomst waarschijnlijk afnemen. Zuid-Afrika heeft eind 2003 de visumeisen flink aangescherpt. Mozambikanen moeten tegenwoordig 65 dollar betalen voor een visum en ze moeten bewijzen dat ze over voldoende bestaansmiddelen en accommodatie beschikken. Bovendien moeten Zuid-Afrikaanse werkgevers 2 procent van het salaris van elke buitenlandse werknemer in een fonds storten, waarmee de opleiding van Zuid-Afrikaanse werknemers wordt bekostigd. Als een contract na maximaal zes maanden afloopt, moeten buitenlandse werknemers Zuid-Afrika binnen drie dagen verlaten.

Privatiseringen en economische groei creëren een nieuwe, rijke bovenlaag

## Leven en dood

**Bevolking:** 19,2 miljoen

**Verwachte omvang in 2050:** 31,3 miljoen

**Gemiddelde bevolkingsgroei:** 1,8% (gem. 2000-2005)

**Vruchtbaarheid:** gem. 5,63 kinderen per vrouw

**Geboorten met medische assistentie:** 44%

**Sterfte per 1.000 kinderen tot 5 jaar:** 223 jongens, 207 meisjes

**Levensverwachting:** mannen 36,6 jaar, vrouwen 39,6 jaar

*Bron: UNFPA, 2004* ■

Winkel in Maputo, de forse inflatie van de afgelopen jaren is zichtbaar in de duizelingwekkende prijzen voor een flesje frisdrank

*Economie*

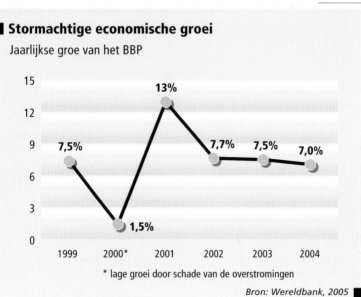

## ■ Stormachtige economische groei

Jaarlijkse groe van het BBP

- 1999: 7,5%
- 2000*: 1,5%
- 2001: 13%
- 2002: 7,7%
- 2003: 7,5%
- 2004: 7,0%

\* lage groei door schade van de overstromingen

*Bron: Wereldbank, 2005*

gemeenschap. Minstens 46 ambassades en internationale organisaties bemoeien zich met de ontwikkeling van het land; daarnaast zijn er meer dan 150 buitenlandse NGO's. De afhankelijkheid van donorgeld is afgenomen, maar is nog steeds groot. Volgens het ministerie van Planning en Financiën droegen donoren in 2000 tussen de 55 en 60 procent bij aan het nationale budget. De donoren proberen het aantal individuele projecten te beperken en geven tegenwoordig steun aan sectoren zoals onderwijs of gezondheidszorg, waardoor de activiteiten beter op elkaar afgestemd worden. Ook wordt veel ontwikkelingsgeld nu direct overgemaakt aan het ministerie van Planning en Financiën, dat het vervolgens besteedt aan de afgesproken doelen. Maar lokale bedrijven klagen nog steeds over de relatief hoge salarissen die internationale organisaties bieden, waardoor zij moeite hebben goedopgeleide Mozambikanen te vinden.

*Cashewnoten-saga*  Al sinds de Portugese tijd produceert Mozambique cashewnoten. Naar schatting een miljoen boeren heeft een of meer cashewbomen in de tuin. Van het fruit, de cashewappel, brouwen ze een alcoholische drank. De noot is voor de verkoop en gaat meestal naar het buitenland. Om de lokale verwerkingsindustrie te beschermen, wierp de regering na de onafhankelijkheid barrières op voor de uitvoer van ongepelde noten. Het IMF en de Wereldbank eisten eind jaren negentig de afbraak van die bescherming. De redenering was dat dit zou leiden tot betere prijzen voor de boeren. Dat als gevolg hiervan de lokale verwerkingsindustrie failliet zou gaan was voorzien, maar dit zou opwegen tegen tegen het economisch voordeel voor de boeren en uiteindelijk voor de Mozambikaanse economie.

Tegen het eind van 2000 hadden alle Mozambikaanse cashewnotenfabrieken hun deuren gesloten en stonden achtduizend arbeiders op straat. Maar het voorziene prijsvoordeel voor de boeren bleef uit. De wereldmarktprijzen waren intussen gedaald en een kilo ongepelde cashewnoten leverde steeds minder op. Aziatische handelaren namen de markt in handen. De afschaffing van de beschermende maatregelen leverde uiteindelijk niet tot enig economisch voordeel en bevorderde slechts de werkloosheid.

IMF en Wereldbank stemden, na felle kritiek uit onder meer de Mozambikaanse samenleving, schoorvoetend in met het opnieuw invoeren van belasting op de export van rauwe noten. Op verschillende plaatsen komt de industriële verwerking van noten nu weer van de grond. De noten worden onder meer uitgevoerd naar Nederland en België.

*Schuldverlichting*  De torenhoge schulden van Mozambique domineerden lange tijd de discussies tussen de regering en de internationale gemeenschap. Al in de jaren tachtig stond het onderwerp op de agenda, maar de gesprekken leidden slechts tot vertraging in de terugbetalingen. De regering wilde dat alle schuld werd kwijtgescholden en kreeg steun van een internationale campagne, die lastenverlichting als de meest noodzakelijke vorm van hulp aan Afrika propageerde. Als gevolg van die internationale druk lanceerden IMF en Wereldbank in 1996 het Heavily Indebted Poor Countries (HIPC) initiatief. Mozambique stond hoog op de lijst van landen die van het initiatief moesten gaan profiteren. Maar de resultaten waren nauwelijks bevredigend. In ruil voor de kwijtschelding van 1,4 miljard dollar moest Mozambique beloven jaarlijks 23 procent van de exportinkomsten te bestemmen voor rente en aflossing. In de praktijk zou dat betekenen dat het land nog meer moest betalen dan voorheen. Na protesten werd het aflossingspercentage teruggebracht tot 10 procent. In september 2001 bekrachtigden de Wereldbank en IMF het HIPC *completion point* voor Mozambique: het land voldeed als beste leerling van de klas aan alle eisen van de internationale gemeenschap, waaronder het ontwikkelen van een armoedestrategie. De resterende buitenlandse schuld van Mozambique zakte tot ruim onder de 1 miljard dollar, ongeveer 21 procent van het BNP.

### ■ Afrikaanse tijger

Hoewel de sociale gevolgen van de IMF-recepten op korte termijn desastreus waren, werkten ze wel in technische zin. De inflatie daalde in korte tijd dramatisch en de metical stabiliseerde. De belastingheffing werd verbeterd om het begrotingstekort terug te dringen. Intussen waren al zevenhonderd staatsbedrijven, waaronder veertig grote ondernemingen, in de uitverkoop gedaan. Ze kwamen veelal in buitenlandse handen.

In de landbouwsector nam vooral de productie van rietsuiker en katoen toe. De agrarische sector was, en is nog steeds, de basis van de economie van Mozambique. Hoewel de landbouw slechts een vijfde bijdraagt aan het BNP, verdienen vier op iedere vijf Mozambikanen een inkomen als boer, visser, groenteteler, veehouder of landarbeider. Landbouwproducten vormen, samen met de visserij, ook de belangrijkste bron van exportinkomsten.

### Maputo Development Corridor

Herstel van de transportlink tussen de industrieën in Gauteng en de haven van Maputo, waarlangs al ruim een eeuw lang goederen, gastarbeiders en reizigers trokken, had voor Zuid-Afrika hoge prioriteit in het post-apartheidtijdperk. Het was een kans om te laten zien dat het land bereid was met kapitaal, expertise en goodwill bij te dragen aan de wederopbouw van de regio. De regionale destabilisatie waaraan het apartheidsregime zich schuldig maakte, zou door het nieuwe Zuid-Afrika worden rechtgetrokken met ontwikkeling, werkgelegenheid en economische groei.

En toen kwam de kritiek. Het duurde erg lang voordat de Mozambikaanse regering de contracten had gesloten voor het management van de haven. Het ministerie van Transport functioneerde nauwelijks bij gebrek aan personeel en financiën. Ook door gebrek aan voldoende capaciteiten aan de Zuid-Afrikaanse kant raakte het project verschillende keren in crisis.

Het vertrouwen van buitenlandse investeerders in Mozambique neemt ook sterk toe. Ook voor Mozambique's reserve aan natuurlijke hulpbronnen is veel buitenlandse belangstelling, waarbij het vooral gaat om kolen, waterkracht, gas en wellicht ook olie. Het gevolg van dit alles is dat de Mozambikaanse economie zich snel ontwikkelt, in het hoogste tempo van alle landen in sub-Sahara Afrika.

*Zuid-Afrikaanse investeringen* De economische vooruitgang is het meest zichtbaar in het zuiden van Mozambique. En dat heeft alles te maken met het relatief rijke buurland Zuid-Afrika. Sinds 1997 overleggen de twee landen op het hoogste niveau over mogelijk gezamenlijke projecten. Zuid-Afrikaanse ondernemingen – staatsbedrijven en particulier – zijn de belangrijkste buitenlandse investeerders in Mozambique. Maar ook voor Zuid-Afrika wordt Mozambique belangrijker: het land heeft inmiddels Zimbabwe afgelost als de belangrijkste Afrikaanse handelspartner van Zuid-Afrika.

De grote *push* kwam van de Maputo-corridor, de autosnelweg van Maputo richting Zuid-Afrika (ook het herstel van de transportverbindingen met Zimbabwe en Malawi naar de zeehavens van Beira en Nacala was overigens van belang). Het Zuid-Afrikaanse Spoornet nam de lijn van de grensplaats Komatipoort naar Maputo over in de hoop dat de verbinding – na een grondige modernisering – de Zuid-Afrikaanse steenkoolmijnen en andere ondernemingen in de buurt van Johannesburg zal verleiden Maputo als uitvoerhaven te gebruiken. Zuid-Afrika speelt eveneens een belangrijke rol in de Mozambikaanse energiesector. De machtige petrochemische groep Sasol investeerde veel geld in de Mozambikaanse aardgasvelden in de provincie Inhambane: de 865 kilometer lange gaspijpleiding naar Secunda in Zuid-Afrika werd in juni 2004 in gebruik genomen. Kort daarvoor verdubbelde de Zuid-Afrikaanse aluminiumfabrikant Alusaf de capaciteit van haar fabriek in Mozal tot 506 duizend ton, een financiële injectie van 800 miljoen dollar. Mozal draagt

Een nieuwe tolweg zou de reisduur tussen Johannesburg en Maputo terugbrengen tot vijf uur. Maar de tolgelden zijn hoog, evenals de tarieven voor goederentransport via de spoorlijn. De wachttijden bij de douanepost in Komatiepoort zijn bovendien erg lang. De Maputo Corridor is teveel een 'presidentieel' project, stellen de critici, waarbij de ontwikkelingsdoelstellingen in het nauw zijn geraakt. Banen voor de bevolking langs de corridor zijn er nauwelijks bijgekomen. Investeringen in het land overigens wel.

Behalve de corridor in Maputo is er ook de Nacala Development Corridor, die de haven van Nacala in de provincie Nampula verbindt met Malawi. De kroon op het herbouwde nationale wegennet is de brug over de Zambezi, waarvan de kosten rond de 70 miljoen dollar bedragen. De brug, waarvan de bouw in 2004 begon, gaat Caia op de zuidoever met Chimuara in het noorden verbinden. De brug zal een belangrijke bijdrage leveren aan het creëren van een noord-zuidverbinding in het langgerekte Mozambique, in plaats van de koloniale oost-westverbinden, van de zeehavens naar het Afrikaanse achterland.

inmiddels voor een tiende bij aan het Mozambikaanse bruto nationale pro-
duct en heeft de export van het land in één klap verdubbeld.

Ook aan de financiële- en dienstensector gaat de Zuid-Afrikaanse expan-
sie niet voorbij, ook al is die nog grotendeels in Portugese handen. De bank-
groep Absa kocht in 2002 de Mozambikaanse Banco Austral. Zuid-Afrikaanse toeristen brengen hun weekenden door in de Mozambikaanse
badplaatsen aan de Indische Oceaan, waar de meeste hotels en attracties in
Zuid-Afrikaanse handen zijn. Ook op de Mozambikaanse biermarkt zijn de
Zuid-Afrikanen grotendeels de baas, sinds South African Breweries 79 procent van de aandelen van Cervejas de Moçambique (de grootste nationale
brouwer) in handen kreeg. De Zuid-Afrikaanse Shoprite malls rukken op, in
Maputo en tal van andere plekken.

Nog niet zo heel lang geleden betekende Zuid-Afrikaans geld vooral
onheil voor Mozambique, via de financiering van de rebellenbeweging
Renamo. Nu zijn investeringen uit het machtige buurland meer dan welkom,
al dringt de overheid wel aan op het inschakelen van lokale partners. Het
probleem daarbij is echter dat Mozambikaanse ondernemers niet zoveel
geld op tafel kunnen leggen. Sinds april 2003 zorgt bijvoorbeeld het Zuid-
Afrikaanse Vodacom (onderdeel van het Britse Vodafone) op de mobiele
telefoniemarkt voor concurrentie met lokale providers. Het bedrijf zal 83
miljoen euro investeren om de telecommunicatie-infrastructuur in het land
verder te ontwikkelen. Emotel, een consortium van Mozambikaanse ondernemers, fungeert als lokale partner maar draagt slechts 2 miljoen euro bij.
Voorwaarde van Vodacom voor de investeringen was wel dat de lokale tarieven omhoog gaan, dus ook die van de concurrentie. De overheid ging daarmee akkoord. De prijzen stegen dus, maar er kan nu wel op veel meer plekken worden getelefoneerd en de service verbeterde.

*Natuurlijke rampspoed*    Zuid-Afrika was een van de belangrijkste hulpschieters tijdens de
enorme overstroming die Mozambique eind februari 2000 trof. Cycloon

## Kredietverlener Tchuma

Onder taxichauffeurs, kippenboeren, naaiateliers, timmerbedrijfjes en andere kleine ondernemers in Maputo is Tchuma een begrip. Bijna allemaal stonden ze ooit aan de balie bij het kre-
dietbureau, dat sinds 1999 geld uitleent aan bedrijfjes die anders geen toegang hebben tot
financiële dienstverlening. De lokale banken in Mozambique richtten zich uitsluitend op het
grootbedrijf, terwijl 36 procent van de stadsbewoners zelf een inkomen bij elkaar verdient.
Een onderpand hebben de kredietnemers niet nodig, legt directeur Gildo dos Santos Lucas
uit, terwijl hij onafgebroken een enorme stapel kredietaanvragen doorneemt en cheques van
een handtekening voorziet. 'De verantwoordelijkheid ligt bij de mensen zelf, al schatten we
van tevoren de terugbetaalcapaciteit in. Ook leggen we regelmatig bezoeken af om te kijken
hoe het met een cliënt gaat.'
Het bestand van Tchuma Cooperativa de Crédito e Poupança groeide in 2003 en 2004

Visser aan het strand bij Maputo

Eline bereikte op 21 en 22 februari de Mozambikaanse kust. Door de aanhoudende hevige regen traden in de nacht van 25 februari vrijwel alle rivieren buiten hun oevers. Al gauw leek de luchthaven van Maputo opnieuw op het hoofdkwartier van een internationale vredesmacht, gezien het aantal vliegtuigen en het militair personeel dat de hulpverlening aan de slachtoffers coördineerde. Beelden van soldaten die met helikopters mensen uit bomen en van de daken redden, gingen de hele wereld over. De overstroming richtte enorme schade aan. Zevenhonderd mensen verloren hun leven, vooral langs de oevers van de rivier Limpopo, honderdduizenden stuks vee verdronken. Bovendien raakten onopgeruimde landmijnen door de snelle stromingen op drift, waardoor ze nog moeilijker te traceren zijn.

Mozambique ontving 450 miljoen dollar van de internationale donorgemeenschap, naast de miljoenen dollars die particuliere organisaties wisten in te zamelen, om de natuurramp te boven te komen. Een jaar later was het opnieuw raak. Door hevige regenval in Zimbabwe en Zuid-Afrika steeg het waterpeil van de rivieren die in de Indische Oceaan uitmonden. Het rampgebied was dit keer vooral het gebied rondom de rivier Zambezi. Met de over-

met meer dan 250 procent tot bijna zesduizend klanten, bij wie in totaal 1,2 miljoen dollar uitstaat. De gemiddelde lening ligt tussen de 80 en 250 dollar, en moet meestal binnen een jaar worden terugbetaald. In 2002 voerde Tchuma een impact studie uit, waaruit bleek dat door de leningen in 63 procent van de huishoudens het inkomen was gestegen. 'Microkrediet is de beste manier van hulp geven aan families zodat hun kinderen naar school kunnen', vindt Gildo dos Santos Lucas. 'Het is de beste manier van wederopbouw.'

Tchuma opereert in Maputo en de voorstad Matola en heeft twee kleine kantoren in Marracuene en Boane. De organisatie wil op korte termijn nog drie branches openen, waaronder in Xai-Xai. Tschuma is eigendom van de NGO Fundação para o Desenvolvimento da Comunidade (FDC), het investeringsbedrijf SCI en enkele cliënten die aandelen hebben gekocht. Het kapitaal is voor de verandering dus geheel Mozambikaans.

stromingen van 2000 nog vers in het geheugen waren de regering en hulporganisaties nu veel beter voorbereid. Dit keer waren er minder slachtoffers; de overstroming vergde 115 doden en 230 duizend ontheemden. Op de natte jaren volgden twee extreem droge periodes. In juni 2002 luidden de VN de noodbel omdat de oogsten waren mislukt en een half miljoen mensen in hongersnood dreigden te raken. Een jaar later was de situatie nog ernstiger: in Maputo was in vijftig jaar niet zo weinig regen gevallen. Maar de extreme droogte beperkte zich tot de zuidelijke regionen van Mozambique. In het noorden waren de oogsten juist heel goed: de productie van graan was in 2002 5 procent hoger dan in het jaar daarvoor; de boeren produceerden 8 procent meer maïs. Toch haalde het Wereld Voedselprogramma (WFP) de noodhulp niet uit het noorden van Mozambique maar uit Zuid-Afrika. De transportkosten waren volgens de VN-organisatie te hoog. Ook toen de voedselcrisis Malawi trof, werden de overschotten van de Mozambikaanse boeren in het noorden niet aangesproken. Dergelijke beleidskeuzes hebben grote gevolgen voor de boeren, die hun overschotten zien wegrotten terwijl elders hongersnood is.

**Kansen voor suiker**

Luis Eduardo Sitoe is directeur Internationale Zaken van het ministerie van Industrie en Handel van Mozambique. Sitoe onderhandelt voor zijn land over suiker. In een interview met het maandblad *Internationale Samenwerking* van het ministerie van Buitenlandse Zaken antwoordde hij als volgt op de vraag hoe belangrijk suiker is voor Mozambique: 'Ok, dat zal ik vertellen. Schrijf op: Suiker is heel heel heel belangrijk voor ons. Het belang kan niet overschat worden. Tot de burgeroorlog waren wij een zeer competitief suikerproducent. (...) Er staan weer vier suikerfabrieken die bovendien veel groter zijn dan de vroegere fabrieken. Het belangrijkste is echter dat onze suikerindustrie investeringen aantrekt. Investeringen in een arm deel van het land, weg van de hoofdstad. Dat levert banen op. (...)

Mijn land heeft last van de subsidies die Europese suikerboeren krijgen. Want die subsidies verpesten de wereldmarkt. Landen die goedkoop suiker kunnen produceren worden van de Europese markt geweerd. Maar Mozambique profiteert ook van het Europese suikerregime. Wij mogen jaarlijks 6.000 ton suiker afzetten in Europa tegen een heel erg goede prijs. Dat is natuurlijk heel weinig. Maar in 2009 opent de Europese markt zich voor ons. De armste landen mogen dan zoveel suiker naar Europa exporteren als ze kwijt kunnen. Onze angst is dan dat Europa z'n suikerprijzen dan inmiddels drastisch heeft verlaagd. We hopen dan ook dat het suikerregime heel langzaam wordt afgebouwd. Zodat wij ook nog even kunnen profiteren van het systeem. Dat extra geld kunnen wij gebruiken om onze infrastructuur op orde te krijgen. Door wegen te bouwen en door elektriciteitsvoorzieningen op peil te brengen kunnen we nog beter produceren voor de wereldmarkt.

Ik heb in het verleden met Nederlandse suikerboeren gesproken. Zij produceren suiker voor 700 euro per ton, terwijl de wereldmarktprijs nauwelijks 200 euro bedraagt. Dat is niet duurzaam, heb ik tegen ze gezegd. Jullie zouden langzaam maar zeker moeten overschakelen op andere producten.'

# 4    CULTUUR

*Creativiteit als wapen*

*'O peso da vida! Gostava de senti-lo à tua maneira e ouvi-la crescer dentro de mim, em carne viva'*
('De zwaarte van het leven! Ik hield ervan om het te dragen, net zoals jij, om het binnenin mij te horen groeien, in levend vlees') – Eduardo White, dichter

In de werkplaats van Nucléo de Arte in Maputo beitelt Mucavele met ontbloot bovenlichaam een landschap uit een plaat op zijn schoot. Achter hem kneedt een kunstenaar een enorm bruingroen object. Bij de bar en in de tuin van het kunstenaarscollectief staan sculpturen. Op het eerste gezicht lijken het roestig stalen dieren, meubelstukken en mensfiguren. Maar de vrolijke sculpturen zijn gemaakt van macaber materiaal. Een oude AK 47 is omgebogen tot een struisvogel. De loop van een machinegeweer vormt de ruggengraat van een mensfiguur. In 'De Saxofoonspeler' van Gonçalo Armando Mabunda zijn de contouren van een bazooka te herkennen. De hoorn is gemaakt van een cilindervormig handwapen. De dodelijke wapens die na afloop van de zestien jaar durende oorlog werden ingezameld, vonden bij het kunstenaarscollectief een artistieke en symbolische bestemming.

Met de wapensculpturen verwierf Nucléo de Arte internationale bekendheid, waarmee het relatieve internationale isolement van de Mozambikaanse kunsten werd doorbroken. Toch heeft Nucléo de Arte al een lange geschiedenis: de naam was in 1937 de titel van een tentoonstelling in Lourenço Marques waaraan uitsluitend Portuguese kunstenaars deelnamen. De ontmoetingsplaats van kunstenaars groeide uit tot een centrum van verzet tegen de dictatuur van Salazar. Mondjesmaat kregen ook Afrikaanse kunstenaars toegang. De oorlog maakte echter een eind aan het culturele leven. Nucléo de Arte lag in puin, totdat een jongere generatie kunstenaars in 1993 met nieuwe inspiratie de oude villa opknapten en voor een artistieke opleving in Mozambique zorgden.

Binnen in de villa richtten ze een galerie in met wisselende exposities van Nucléo kunstenaars. De helft van de opbrengst van de verkoop van schilderijen gaat naar Nucléo, maar het is niet genoeg. Materialen zijn duur. Internationale donors springen soms bij. Tegenwoordig werkt Núcleo aan een oude wens om jonge kunstenaars in de provincies, waar vrijwel geen voorzieningen zijn, te bereiken. De dromen hebben nog niet geleid tot concrete stappen, al reizen de kunstenaars soms naar het noorden om workshops te

Nucléo de Arte

geven. 'We hebben vernieuwing
nodig,' vindt directeur João Tinga.
'In Mozambique is maar één kunstacademie en het niveau is laag.
Toch is er veel talent. En mensen
hebben nu de oorlog is afgelopen
ruimte om aan kunst te denken.
Misschien kunnen ze niets kopen,
maar ze waarderen het.'

### ■ Beeldende dromen
Malangatana Valente Ngwenya
stond aan de wieg van Nucléo de
Arte. Tegenwoordig werkt hij in
zijn kleurrijke atelier aan huis, dat
meteen opvalt in de stoffige straat
in een buitenwijk van Maputo. De
muren zijn gedecoreerd met
geschilderde hoofden en gietijze-
ren sculpturen. Zijn atelier is eveneens een opslagruimte van honderden van zijn schilderijen vol met
mensenfiguren en geesten die – net
zoals in de Ujamaa-beelden van het
Makonde-volk uit het noorden van
Mozambique – over elkaar heen buitelen. De peetvader en inspirator van de
Mozambikaanse schilderkunst zit er onverstoorbaar tussen te werken.

Malangatana maakte furore in 1961 met een solo-expositie in Lourenço
Marques, waarna zijn werk te zien was op tentoonstellingen in Zuid-Afrika,
Europa en India. Toen in 1964 de Kerngroep van Afrikaanse Studenten
(Núcleo dos Estudantes Africanos) een expositie met werk van uitsluitend
Mozambikaanse kunstenaars organiseerde, greep de Portugese geheime
politie (PIDE) in. De drukbezochte tentoonstelling met veel werk van
Malangatana werd gesloten, omdat de kunst te nationalistisch was getint. De
repressie van de Mozambikaanse intelligentsia nam toe en Malangatana ver-
dween op beschuldiging lid te zijn van Frelimo voor anderhalf jaar achter de
tralies.

Na de onafhankelijkheid van Mozambique stortte Malangatana zich op
politieke activiteiten. Hij trok met collega-kunstenaars, en soms ook met
Chileense ballingen, studenten en *cooperantes* (enthousiaste vrijwilligers uit
Europa), het land in om revolutionaire muurschilderingen te maken. De

grootste (95 meter lang) is nog steeds te zien vlakbij de luchthaven van Maputo en verbeeldt veel verhalen en figuren uit de revolutie. Ook was hij de motor achter de oprichting van kunstinstituten, waaronder het Nationaal Kunstmuseum (Musart) en het Centrum voor Culturele Studies (de enige kunstacademie) in Maputo. Tot 1985 werkte Malangatana als topambtenaar op het ministerie van Cultuur. Daarna wijdde hij zich opnieuw volledig aan de kunsten. Sinds tien jaar probeert Malangatana een langgekoesterde droom waar te maken: zijn geboortedorp Matalana wil hij omvormen tot een cultureel centrum voor kunstenaars. Het dorpje ligt ongeveer 40 kilometer buiten Maputo en heeft al een amfitheater, een muziekzaal en een schildersschool, maar nog geen elektriciteit en stromend water.

*Alberto Chissano*  Wat Malangatana is voor de Mozambikaanse schilderkunst is Alberto Chissano voor de beeldhouwkunst. Zijn gigantisch oeuvre is veelzijdig: Chissano hield ervan te experimenteren en in zijn werk vermengde hij spiritualiteit met abstractie. In navolging van de in Italië ontstane kunststroming Arte Povera (Arme Kunst) verzamelde hij natuurlijke materialen en tastte hij de relatie af tussen kunst en natuur. Vooral met zijn uit sandelhout gehouwen beelden van verstrengelde lichamen genoot hij wereldfaam. Chissano, die in 1966 zijn eerste solotentoonstelling had, pleegde in 1994 zelfmoord.

De meester van de Mozambikaanse beeldhouwkunst is een inspirator voor veel jonge kunstenaars. Een oud-leerling die in zijn voetsporen trad is Ndlozy, pseudoniem van Sebastião Armando Jonze. Sinds Ndlozy zich in

## Mabulu: marrabenta en hiphop

Tijdens de overstromingen in 2000 kwamen de toen 62-jarige Lisboa Matavel (die faam verwierf als 'de troubadour van Mozambique') en Chiquito, een jonge rapper van 22, samen in een studio. Hun enige wapen tegen de hevige regen, de cyclonen, de stroomonderbrekingen was hun muziek. Elke dag trotseerden ze de weergoden om naar de studio, de eerste en enige in Mozambique, te komen. En in al die misère maakten ze de CD *Karimbo*. Oude marrabenta-ritmen uit de jaren zestig en militante anti-oorlog rapnummers gezongen in Shangana, Ronga en Portugees werden gecombineerd in een muzikale boodschap van een hoopvolle toekomst voor hun land en solidariteit tussen culturen. Hun samenwerkingsverband noemden ze Mabulu, wat 'dialoog' betekent in Shangana.

De band groeide in de jaren daarna uit tot een van de hoogtepunten in het internationale wereldmuziekcircuit. Voor het tweede album, *Soul Marrabenta* uit 2001, sloten de 73-jarige marrabenta-legende Dilon Djindji en nog enkele muzikanten zich aan bij de groep. De band trad op tal van plekken in de wereld op, maar bracht ook op het Mozambikaanse platteland een mix van entertainment en voorlichting over problemen zoals aids, kinderprostitutie en drugs. Lisboa Matavel overleed in november 2002, maar Mabulu speelt nog steeds. Eens per week treden ze op in Bar Africa in Maputo. In 2003 werd de groep genomineerd voor de Kora All Africa Music Awards en de BBC Radio 3 World Music Awards.

Straatverkopers in Maputo

1988 toelegde op de beeldhouwkunst nam hij deel aan talloze collectieve tentoonstellingen in Mozambique en daarbuiten. Volgens de Mozambikaanse schrijver Mia Couto is Ndlozy een verhalenverteller. Hij 'schrijft magie met de kronkelende aders van het hout'. Tot de bekendste werken van de jonge kunstenaar behoort Beleza da Mulher (Schoonheid van een Vrouw), een sensueel vrouwenfiguur gemaakt uit bronskleurig sandelhout.

*Reinate Sadimba*  Achter het Nationale Natuurmuseum in Maputo bevindt zich het atelier van Reinate Sadimba, een van de weinige vrouwelijke beeldhouwers in Mozambique. Sadimba werd in 1945 geboren in het dorpje Nimu in de noordelijke provincie Cabo Delgado. Ze spreekt geen Portugees maar alleen haar eigen taal, Maconde. Van haar moeder leerde ze de pottenbaktechnieken en aan het begin van haar carrière maakte ze vooral huishoudelijke voorwerpen, zoals borden en pannen. Na de onafhankelijkheid en na haar scheiding keerde Reinata Sadimba de Maconde-traditie de rug toe en volgde ze haar eigen weg. Haar beelden stellen mysterieuze figuren voor, vaak vrouwen met bolle hoofden, meerdere armen, gestreepte lichamen en gesloten ogen. Sadimba, die in 1980 de oorlog ontvluchtte en naar Tanzania verhuisde waar ze tot 1992 woonde, geniet sindsdien een nationale en internationale reputatie en neemt regelmatig deel aan tentoonstellingen.

### ■ Podiumkunsten

Mozambique's nationale dansmuziek is *marrabenta*, ontstaan in de jaren vijftig in de buitenwijken van Lourenço Marques. De lokale musici luisterden naar Europese muziek en raakten geïnspireerd, maar ze konden zich geen echte gitaar veroorloven en fabriceerden daarom imitaties van olieblikken, hout en visdraad. Marrabenta is afgeleid van het Portugese woord *rebentar*, wat 'breken' betekent: de marrabenta 'gitaristen' bespeelden hun instrumenten met zoveel passie dat ze vaak de snaren braken. De nummers, gezongen in Afrikaanse talen, bevatten vaak sociale kritiek, maar verhaalden ook over luchtige zaken zoals de liefde. Tijdens de onafhankelijkheidsstrijd beschouwden de Portugezen marrabenta als gevaarlijk en revolutionair. Regelmatig verstoorde de politie concerten.

De late jaren zeventig beleefde de marrabenta een bloeiperiode, geïnspireerd op de levendige *majika*-ritmes van het platteland van Gaza en Maputo. Een invloedrijke vertolker van het genre was Fany Pfumo. Hij nam zijn platen in Zuid-Afrika op, waar hij beïnvloed raakte door de *kwela*-muziek. Het was echter vooral Orchestra Marrabenta die de muzieksoort in de jaren tachtig onder de aandacht van een internationaal publiek bracht. Tot de sterren behoren Chico António, José Mucavele en Elvira Viegas.

**Dans en theater**  In de Portugese tijd weerspiegelde het Mozambikaanse theater de mode in het moederland. Het *varietá*, een musicalachtig genre dat tegenwoordig behalve in Portugal nauwelijks meer wordt opgevoerd, voerde de boventoon en bracht stukken van grote Portugese auteurs. Het publiek in de theaters van Lourenço Marques was vrijwel geheel blank, met een paar uitzonderingen aangezien de assimilados toegang hadden tot de koloniale cultuur. Aan het begin van de jaren zestig begon het in de buitenwijken van Maputo echter te broeien. De vrijheidsstrijd was begonnen en ook in de kunsten wilden Afrikanen het koloniale juk van zich afschudden. Dat weerspiegelde zich in een zoektocht naar de 'ware' identiteit van het land. Een Mozambikaanse theatermaker van het eerste uur was Lindo Nhlongo die in 1971 het eerste toneelstuk maakte over een Afrikaans thema, *A Conferência Dramática sobre o Lobolo*.

Na de onafhankelijkheid van Portugal domineerde in Mozambique het *teatro revolucionário*, het revolutionaire theater waarin propaganda en de socialistische waarden van de nieuwe natie centraal stonden. In Maputo ontstonden verschillende theatergroepen zoals Casa Velha, opgericht in 1977, en Tchova Xita Duma, dat begin jaren tachtig regelmatig op het toneel stond. Een andere belangrijke theatergroep was Mutumbela Gogo, dat het werk van de nationale schrijvers Rui Nogar en Mia Couto als toneelstukken opvoerde. De groep bestaat nog steeds. De oorlog, de moeilijke economische situatie en de afwezigheid van een toneelschool die in jong talent kon voorzien, zorgden lange tijd voor een crisis bij het Mozambikaanse toneel. Echter, de afgelopen jaren is er een opleving te zien; er vinden verschillende festivals plaats waar Mozambikaanse en buitenlandse groepen werk vertonen. De belangrijkste hedendaagse Mozambikaanse theatergroep is ongetwijfeld Companhia de Teatro Gungu, een instituut dat met vijf theatergroepen tientallen stukken maakten die ook in Portugal, Spanje, Frankrijk en de Verenigde Staten te zien waren. De Portugese krant *Público* riep Companhia de Teatro Gungu in 2003 uit tot de beste theatergroep van de Portugeessprekende wereld.

Een grote inspiratie voor de Mozambikaanse moderne danswereld vormt de *mapiko*, een krachtige, rituele dans van het Makonde-volk uit het noorden van het land. De dansers dragen houten maskers (de beroemde *lipiko*) en verbeelden vaak de geesten van voorouders of de natuur. Langs de kust in het noorden heet de traditionele dans *tufo*. Deze is van Arabische origine en wordt – vergezeld door speciale drums (*taware*) – alleen door vrouwen gedanst. De traditionele dansen worden vermengd met moderne invloeden in de choreografieën van Companhia Nacional de Canto e Dança (CNCD), Mozambique's legendarische dansgezelschap dat in 1977 door de Frelimoregering werd opgericht. Het repertoire van CNCD, veelal werken van de choreograaf David Abílio, loopt uiteen van traditionele dans met koormuziek (*makwaela*) tot modern Afrikaans ballet waarin verhalenvertellers een rol spelen.

## ■ Schrijvers zoeken hun roots

Schrijvers en dichters vormden tijdens het kolonialisme regelmatig het doelwit van repressie. De literatuur uit deze tijd was vooral nationalistisch van aard, zoals de poëzie van Noémia de Sousa waarin raciale identiteit een belangrijk thema is. In de late jaren veertig begon José Craveirinha met het beschrijven van de sociale realiteit van het Mozambikaanse volk; in zijn gedichten riep hij op tot verzet. Het oeuvre van Craveirinha, die eveneens als journalist werkte en eind jaren zestig vier jaar gevangen zat wegens zijn

### Meer kunst in de media

In de kolommen van Mozambikaanse kranten zijn nauwelijks berichten over kunst te vinden, en ook de radio besteedt slechts sporadisch aandacht aan cultuur. Een groep journalisten, verenigd in het Cooperativa de Artes e Letras, besloot daarom kunst in de media te promoten. Het journalistennetwerk zetelt in een klein kantoor in Maputo, dat door het regionale samenwerkingsverband SADC gratis ter beschikking is gesteld. Het dient vooral als vergaderruimte. 'We hebben niet eens een telefoon en we betalen veel uit eigen zak,' zegt Augusto Rodrigues, journalist van Rádio Moçambique. 'Maar dat houdt ons niet tegen. Eens per week komen we bij elkaar om plannen te bespreken, om elkaar te vertellen waarover we hebben bericht en we wisselen contacten en informatie uit. Daarnaast bekritiseren we elkaars werk. Daar leren we van. We willen steeds beter worden als kunstjournalisten.'

De acht aangesloten journalisten hebben al een paar succesjes geboekt. De belangrijkste krant van Mozambique, *Notícias,* kwam halverwege 2003 met de eerste editie van een flitsend opgemaakte kunstbijlage op woensdag. Acht pagina's maar liefst. 'Voorheen hadden we slechts de dagelijkse cultuurpagina, maar dat was lang niet genoeg,' zegt Gil Filipe, die sinds 1997 deel uit maakt van de vierkoppige kunstredactie van Notícias. 'De bijlage is een hele

politieke ideeën, bestaat uit vier boeken en twee gedichtenbundels. In 1991, twaalf jaar voor zijn dood in 2003, ontving Craveirinha de Prémio Camões, de belangrijkste literaire prijs in de Portugees-sprekende wereld. Een tijdgenoot van Craveirinha was de in 1998 overleden dichter Rui Knopfli, een van de oprichters van het invloedrijke tijdschrift *Caliban*.

Toen de oorlog voor onafhankelijkheid zijn hevigste momenten beleefde, begonnen vrijheidstrijders hun dagelijkse leven in de *bush*, hun dagelijks leven te beschrijven in gedichten. De guerrillapoëzie groeide uit tot een genre en Marcelino dos Santos en Sergio Vieira waren de belangrijkste vertegenwoordigers. Na de onafhankelijkheid kende de Mozambikaanse literatuurwereld een bloeiperiode, ondanks de burgeroorlog die uitbrak. Hedendaagse dichters, zoals Eduardo White, lieten voor het eerst van zich horen. Boeken geschreven in een Afrikaanse context en traditie raakten in de mode. Zo verhaalt de roman *Ualalapi* uit 1987 van de schrijver Ungulani ba ka Khosa over de 19de-eeuwse Afrikaanse leider Ngungunhane. In 1990 kwam Khosa's collectie korte verhalen uit, *Orgia dos Loucos*, evenals *Cada Homem é Uma Raça,* het derde boek van Mia Couto.

**Mia Couto**

Als zoon van Portugese ouders die begin jaren vijftig naar Mozambique emigreerden, beschouwt de in Beira geboren Mia Couto zichzelf als een culturele mulat, iemand op de grens van verschillende culturen. De jaren negentig betekenden zijn doorbraak en momenteel is Mia Couto Mozambique's meest vooraanstaande schrijver. Mia Couto heeft een unieke schrijfstijl, waarin hij het Mozambikaanse Portugees bewerkt tot een poëtische en ludieke taal. Zijn boeken zijn doordrenkt van een surrealistische sfeer, een wereld waarin de doden van zich doen spreken en waarin de raarste dingen

vooruitgang.' Op kunstgebied gebeurt genoeg, vinden de journalisten, maar de sector is niet alleen in de media een ondergeschoven kindje, maar in de hele Mozambikaanse samenleving. Ook dat wil het journalistennetwerk veranderen. Bij het publiek is het coöperatief vooral bekend door de organisatie van het jaarlijkse culturele manifestatie *Sons da Escrita* ('Geluiden van het Schrijven'), met theater, muziek, beeldende kunst, een boekenbeurs en seminars over bijvoorbeeld de identiteit van de Mozambikaanse cultuur.

In december 2003 organiseerden de journalisten een hommage aan Justino Chemane, de schrijver van het eerste volkslied van Mozambique, die gewond was geraakt bij een verkeersongeluk. 'In dit land bestaat de slechte gewoonte om kunstenaars pas te erkennen nadat ze zijn overleden,' vindt Gil Filipe. 'Dat wilden we voorkomen.' Hun grootste droom hebben de journalisten nog niet bereikt: het opzetten van een kunsttijdschrift. Een 0-nummer bestaat al, getiteld *Culturando.* 'Daarvoor kregen we eenmalige financiering van een Italiaanse organisatie, om te laten zien wat we willen,' zegt Gil Filipe. 'Het is duur, maar we vinden nog steeds dat we ermee moeten doorgaan. We denken dat er wel degelijk een markt voor is. Cultuur gaat over hoe we onszelf definiëren. Mensen die niet weten wie ze zijn, zijn geen levende mensen.'

gebeuren zonder dat iemand ervan opkijkt. Ook stelt hij hedendaagse kwesties aan de orde, zoals de tragiek van de Afrikaanse elite die uitgebreid aan bod komt in zijn boek *Um rio Chamado Tempo, uma Casa Chamada Terra.* In 2003 schreef Mia Couto in de krant *Savana* een open brief aan de Amerikaanse president Bush waarin hij voorstelt de VN-wapeninspecteurs niet naar Irak maar naar de Verenigde Staten te sturen, aangezien dat land als enige ooit kernwapens heeft gebruikt. Bovendien schrijft hij dat kleine landen zoals Mozambique 'massaconstructiewapens' hebben, namelijk de mogelijkheid om onafhankelijk te denken. De brief raakte wijdverspreid via het internet.

# 5 NATUUR EN MILIEU

*Van oorlogsschade tot vredespark*

De opdeling van Afrika tussen de koloniale grootmachten leidde niet alleen tot de brute scheiding van tal van volken, ook de migratieroutes van het wild raakten door de opdeling in de war. Ruim een eeuw later is die scheiding in het oosten van zuidelijk Afrika voor een deel ongedaan gemaakt. Het Great Limpopo Transfrontier Park, dat grondgebied omvat van Zuid-Afrika, Zimbabwe en Mozambique, opende in oktober 2004. De presidenten van de drie landen zetten plechtig hun handtekening onder de oprichtingsakte, en 150 kilometer afscheidingsgaas tussen Mozambique en Zuid-Afrika werd symbolisch weggehaald. De Zimbabwaanse kant blijft voorlopig nog gesloten. De samensmelting van de voormalige nationale parken Kruger, Limpopo en Gonarezhou moet leiden tot het grootste natuurreservaat ter wereld. Het 'vredespark' is ook de meest ambitieuze poging in Afrika om de bescherming van wild, natuurbehoud, toerisme en economische ontwikkeling te combineren.

Het vredespark gaat nu nog gebukt onder een aantal moeilijkheden. Met name de politieke onrust en de landkwestie in Zimbabwe hebben gezorgd voor een afname van de wildstand in het Zimbabwaanse deel van het park, omdat er geen controle meer is op stroperij. Ook is Zimbabwe verstoken van internationale hulp doordat de donoren de geldkraan dichtdraaiden vanwege president Mugabe's beleid. Mozambique en Zuid-Afrika wisten voor hun aandeel in de ontwikkeling van het megapark extra fondsen te werven, maar Zimbabwe verkeert in geldnood. Bovendien liggen in het Gonarezhou-park nog steeds landmijnen, een overblijfsel van Zimbabwe's onafhankelijkheidsoorlog. Het totale vervagen van de landsgrenzen zal een wat langere adem vergen.

*Ecosysteem en klimaat*  Het Mozambikaanse territorium ligt oostelijk van de Grote Afrikaanse Slenk, een breuk in de aardkorst die zich dwars door de Rode Zee tot de Jordaan-vallei uitstrekt. De kuststrook van Mozambique is immens en grotendeels vlak, met een plateau in het zuiden van honderd tot tweehonderd kilometer breed. Voor de kust ligt een flink aantal eilanden, zoals de Bazaruto-archipel en Ilha de Inhaca, bij Maputo. De koraalriffen zijn nog grotendeels onaangetast. Ten noorden van Pemba, rondom de Quirimba-archipel, bevinden zich volgens velen de mooiste koraalriffen van de Oost-Afrikaanse kust.

Mozambique wordt van west naar oost doorkruist door de twee grootste rivieren van zuidelijk Afrika, de Limpopo en de Zambezi, die in de lagere delen wel 3 kilometer breed is en de oceaan bereikt via een delta van 80 kilometer breed. Ook de Rovuma, die de grens vormt met Tanzania, en de Save monden uit in de Indische Oceaan. Het noordelijke gedeelte bestaat uit zacht golvende vlakten met gebergten in het westen bij de grens met Zimbabwe, zoals de 2.436 meter hoge Binga in het Chimanimani-gebergte. Het uiterste zuiden van Mozambique bestaat geheel uit laagland. Ook het midden is grotendeels vlak, behalve het Gorongosa-massief. Mozambique is, afgezien van Madagaskar, het enige land in Oost-Afrika met *lagoons,* die vooral tussen Ponta de Ouro en de Bazaruto-archipel te vinden zijn. Het klimaat in Mozambique varieert van tropisch in het noorden tot subtropisch in het zuiden. De regentijd kondigt zich meestal aan in november en loopt door tot in april, hoewel er regionale verschillen zijn en het land perioden van extreme droogte kent. Ook passeren cyclonen regelmatig het land.

### ■ Stroperij en mijnen

Wie oorlog voert, heeft weinig tijd om aan het milieu te denken. Stroperij, de jacht op ivoor en op voedsel door de Renamo-rebellen hebben de wildstand in Mozambique sinds de jaren tachtig drastisch teruggebracht. Zo was het nationale park Gorongosa in de provincie Sofala, in 1921 opgezet door de Portugezen, de trots van het land. Het is nog steeds een oase van natuurschoon, maar van de naar schatting zevenduizend olifanten in 1971 waren er na de oorlog nog maar 111 over. Met de buffels was het helemaal slecht gesteld; alle veertienduizend stuks die in het park leefden, waren na de oorlog verdwenen. Alleen in het Niassa-reservaat in het noorden leven nog relatief veel olifanten, buffels en zebra's.

Ook de ontbossing is grootschalig, met name op de plekken waar zich grote concentraties vluchtelingen en ontheemden hebben bevonden. Het – vaak illegaal – kappen van hardhout nam na de oorlog een hoge vlucht. Ook worden jaarlijks vele duizenden hectares bos omgezet in landbouwgrond. Het kwetsbare ecosysteem aan de kust kwam grotendeels ongerept uit de oorlog, hoewel de vervuiling wel toeneemt door de grotere mensenmassa's. Ook het illegaal kappen van mangrovebossen om zoutpannen en garnalenkwekerijen aan te leggen liet gaten achter.

*Mijnen ruimen* Wie over de weg van Maputo via de kustplaats Xai-Xai in noordelijke richting rijdt, kan ze niet missen: de gele driehoekige bordjes met een zwart doodshoofd. Vooral onder bruggen, langs de oevers van rivieren, op kruispunten. Mozambique is bezaaid met landmijnen. Grote delen land kunnen daardoor niet worden gebruikt. De ingegraven wapens vormen een obstakel voor de ontwikkeling van de infrastructuur en een gevaar voor de bevolking en het wild. Want mijnen maken geen onderscheid tussen een soldaat, een

Cahora Bassa-dam

Op de vuilnisdump van Maputo

Funhalouro, provincie Gaza: zonsondergang achter een enorme imbondeiraboom    TRYGVE BOLSTAD/PANOS PICTURES

Ecologie

0    200    400 km

Malawimeer

TANZANIA

Rovuma

Niassa-Reserve

Lugenda

ZAMBIA

MALAWI

Lurio

Gili Reserve

Zambesi

Straat van Mozambique

ZIMBABWE

Gorongosa Nationaal Park

Marromeu Reserve

Gonarezhou Nationaal Park

Save

Bazaruto Nationaal Park

Zinave Nationaal Park

MADAGASKAR

Great Limpopo Transfrontier Park

Limpopo

Banhine Nationaal Park

ZUID-

AFRIKA

SWAZI-LAND

Elefantes do Maputo Reserve

Tropisch regenwoud

Vochtige bossavanne

Droge bossavanne

Mangrove

Beschermd natuurgebied

olifant, een spelend kind of een vrouw die brandhout sprokkelt. Verstopt onder de grond liggen ze te wachten tot er iemand op trapt. De explosie hoeft niet dodelijk te zijn, maar kan 'slechts' een been of arm afrukken. De gebrekkige gezondheidszorg in Mozambique draagt veelal niet bij aan spoedige revalidatie. Jaarlijks maken de mijnen nog minstens vijftig slachtoffers, ook al is de oorlog al lang voorbij. Ook veel vee wordt het slachtoffer, vaak met rampzalige economische gevolgen voor de families.

Deze zogeheten anti-persoonsmijnen moesten de opmars van militaire tegenstanders vertragen. Hoeveel er nog onder Mozambikaanse bodem liggen is een raadsel. Want het opsporen en ruimen van de velden is een tijdrovend en gevaarlijk karwei. Een eerste overheidsonderzoek concludeerde in 2001 dat er 1.374 vermoedelijke mijnenvelden zijn. Dit aantal wordt sindsdien steeds verder opgeschroefd. Zo werden in maart 2004 vier nieuwe mijnenvelden in de provincie Nampula ontdekt, nabij een gezondheidscentrum en een nieuwgebouwde woonwijk. Velen denken dat Mozambique nooit helemaal landmijnenvrij zal zijn.

Toch heeft de regering een doel gesteld: in 2010 moeten alle mijnenvelden in de gebieden waar veel mensen wonen en werken zijn opgeruimd. Tussen 2001 en 2004 zijn ongeveer driehonderd mijnenvelden schoongemaakt. Hoewel Frelimo tijdens de oorlog zelf volop gebruik maakte van de ingegraven wapens, neemt ze tegenwoordig het voortouw in de internationale campagne tegen het gebruik van landmijnen. Mozambique ratificeerde in maart 1999 het Verdrag van Ottawa, dat landmijnen de wereld uit wil helpen. De eigen voorraad van bijna 38 duizend anti-persoonsmijnen was in februari 2003 helemaal vernietigd, een maand voor de eigenlijke deadline.

## ■ Wederopbouw van de natuur

President Chissano hoefde zich niet te schamen tijdens de Wereldtop voor Duurzame Ontwikkeling in Johannesburg in september 2002. Mozambique had alle internationale milieuafspraken die tien jaar daarvoor in Rio de Janeiro waren gemaakt geratificeerd. Agenda 21, het wereldplan voor duurzame ontwikkeling, kreeg prioriteit en werd versmolten met de ontwikkelingsprogramma's van het land. En een nationale strategie voor duurzame ontwikkeling stond op poten, gericht op armoedebestrijding maar met oog voor de bescherming van het milieu. Ook begon de Mozambikaanse regering voorlichtingscampagnes om het publiek te wijzen op de noodzaak van milieuvriendelijke gedrag.

Mozambique's eerste milieuwetgeving dateert uit 1997. De wet introduceert milieuvergunningen voor economische activiteiten om schade aan de natuurlijke omgeving te voorkomen. Daarnaast moet de lokale bevolking en hun traditionele wijsheid worden betrokken bij bescherming van het milieu. Een eerste daad was de omdoping van de hele Bazaruto-archipel, waar de bedreigde dugong (zee-olifant) leeft, tot nationaal park. Maar op papier plannen maken is niet zo moeilijk; de uitvoering is een stuk lastiger. En daarbij speelt vooral het gebrek aan mankracht en kennis de Mozambikaanse overheid parten.

Het herstel van de natuurparken moet, evenals de aantrekkelijke tropische stranden en azuurblauwe zee, op termijn voor meer toerisme-inkomsten zorgen. Maar herstel van de natuurlijke rijkdom is essentieel: investeerders zijn niet erg happig om *lodges* te bouwen in natuurparken waar geen wilde beesten meer zitten.

*Witte olifant*     In de provincie Tete bevindt zich een van de grootste waterkrachtcentrales van Afrika, de Cahora Bassa-dam in de Zambezi-rivier. De dam was een technisch hoogstandje van de Portugezen en tegelijkertijd een *statement* van Lissabon: de bouw van de dam was een signaal van de vastberadenheid van het koloniale regime om in Afrika te blijven. Maar Frelimo had tijdens de onafhankelijkheidsoorlog een heel andere kijk op Cahora Bassa. De dam was volgens het bevrijdingsfront onderdeel van het militaire en economische verbond tussen Portugal en Zuid-Afrika, ontworpen om goedkope stroom aan de Zuid-Afrikanen te leveren en de blanke heerschappij in de regio te handhaven. Bijna zeven jaar lang trachtte Frelimo met guerrilla-acties de bouw van dam te blokkeren. Tevergeefs. Cahora Bassa werd in december 1974 in gebruik genomen, zes maanden voor de onafhankelijkheid van Mozambique.

Na de onafhankelijkheid veranderde Frelimo's visie op de dam radicaal: Cahora Bassa was opeens het symbool van de bevrijding en zou het Mozambikaanse volk economische voorspoed brengen, de strategisch gelegen Zambezi-vallei opvijzelen en een nieuwe bron van harde valuta zijn voor het verarmde land. Maar de Cahora Bassa-dam werd opnieuw het doelwit van sabotageacties, dit keer van Renamo, begin jaren tachtig. De hoogspanningsleidingen, die over een afstand van 850 kilometer door wilde natuur lopen, waren een gemakkelijk doelwit. Zuid-Afrika leverde de springstoffen.

## Ilha de Moçambique

Eeuwenlang was Ilha de Moçambique een trefpunt van culturen. De bebouwing op het eiland, amper 3 kilometer lang en 500 meter breed en gelegen voor de kust bij Nacala, is daardoor een unieke samensmelting van Europese, Arabische, Indiase en Afrikaanse invloeden. Er staat een hindoetempel en een moskee. En antieke kerken en gebouwen in Manuel-stijl, een erfenis van de Portugezen die van het eiland begin 16de eeuw hun hoofdstad maakten nadat ze de oorspronkelijke eilandbewoners naar het vasteland hadden verbannen. Fortaleza de São Sebastião (bouwjaar 1558) is het oudste fort aan de Indische Oceaan-kust.

De unieke monumentenverzameling dreigde in verval te raken. De neergang werd ingezet met de afschaffing van de slavenhandel eind 19de eeuw. Ook de opening van het Suezkanaal deed afbreuk aan de strategische betekenis van het eiland als tussenstop op de zeeroute

In die tijd werd de dam al gerund door het bedrijf Hidroelectrica de Cahora Bassa (HCB), dat voor 82 procent in Portugese handen was en voor 18 procent van de Mozambikaanse staat is. Door de sabotageacties van Renamo werkte de dam in 1987 nog maar op een half procent van het potentieel. De elektriciteit bereikte de belangrijkste markt, Zuid-Afrika, niet. Portugal leende geld aan de Frelimo-regering voor reparatie en onderhoud van de dam. Het gevolg is dat Mozambique nog steeds voor ongeveer 2,5 miljard dollar bij Portugal in de schulden staat. De dam heeft het land nog helemaal niets opgeleverd. Om dat te veranderen, en om de schulden te kunnen terugbetalen, wil de Mozambikaanse regering al sinds begin jaren negentig volledige controle over de dam. Maar Portugal lijkt een vinger in de pap te willen houden en zal Cahora Bassa niet van de hand doen, totdat Mozambique een groot deel van de schulden heeft terugbetaald.

Mozambique ligt ook met Zuid-Afrika in de clinch, over de prijs van de stroom. HCB bood Eskom in 1998 een vriendenprijs aan als het Zuid-Afrikaanse elektriciteitsbedrijf minstens 1.450 MW van Cahora Bassa zou afnemen. Maar Eskom wilde hield vast aan de weggeefprijs van 0,01 dollar per kilowatt uur. De ruzie liep zo hoog op dat HCB in oktober 2002 Eskom en Zuid-Afrika afsneed van elektriciteit. Een maand later werd het conflict – tijdelijk – opgelost.

De Mozambikaanse regering heeft inmiddels het plan opgevat om 70 kilometer stroomafwaarts in de Zambezi een nieuwe dam te bouwen, de Mphanda Nkuwa. Milieuorganisaties zijn tegen. Zij vinden dat het getouwtrek over de waterkracht de ecologische restauratie van de Zambezi-delta en het verbeteren van de levensomstandigheden van de oeverbewoners lang genoeg heeft overstemd.

### ■ Vuilnis en villa's

Een stinkende berg bevindt zich net voorbij de luchthaven van Maputo: het afval van de stad. De omvang van de vuilnisberg is zo indrukwekkend dat het nauwelijks voor te stellen is dat al die viezigheid ooit te verwerken valt.

naar het oosten. De grootste klap kwam met de goudvondst in de Transvaal, in het huidige Zuid-Afrika, waarop de Portugezen hun hoofdstad verplaatsten naar het zuiden van Mozambique. Tijdens de burgeroorlog was het eiland een toevluchtsoord van ontheemden, die de antieke deuren en ander houtwerk gebruikten als brandhout.

Unesco stuurde in 1981 voor het eerst een expertmissie om de schade op te meten. Sindsdien vonden op het eiland grootscheepse restauraties plaats. De voormalige gouverneurswoning (Palácio de São Paulo) werd van de ondergang gered en ook Capela de Nossa Senhora do Baluarte uit 1522 en het fort, dat de Hollanders in 1607 en 1608 tevergeefs probeerden te veroveren, kregen een opknapbeurt. Sinds 1991 staat Ilha de Moçambique op de werelderfgoedlijst van Unesco.

Het is een symbool van de degradatie waaraan de Mozambikaanse steden, ooit de parels van het Portugese koloniale bewind, ten prooi zijn gevallen. Hoewel ze recentelijk weer een lik verf hebben gekregen en de nieuwe rijken er hun villa's bouwen, schitterde er in de jaren tachtig weinig meer aan de brede boulevards in Maputo en Beira. Debet aan de vervuiling in de steden is vooral de stedelijke armoede. De ongecontroleerde urbanisatie die toenam naarmate op het platteland zwaardere gevechten plaatsvonden of kurkdroge tijden aanbraken, hebben de toch al schaarse voorzieningen overbelast.

De eerste milieurel heeft Mozambique ook al achter de rug. In 1998 kondigde de regering aan dat ze een oude cementfabriek in Matola, 15 kilometer buiten Maputo, wilde ombouwen tot een vuilverbrander om er de oude voorraad pesticiden en ander gifafval te vernietigen. Het plan was een suggestie van de Deense ontwikkelingsorganisatie Danida. De inwoners van het voorstadje waren er niet over geraadpleegd. Hun verontwaardiging leidde tot actie. Zo zag Mozambique's eerste milieuorganisatie het licht, Livaningo geheten. De regering bleef erbij dat het verbranden van de pesticide niet gevaarlijk was en dat de voordelen zouden opwegen tegen de risico's. Maar de bevolking van Matola was daar niet van overtuigd. De publieke strijd tussen Livaningo en de regering duurde twee jaar. Uiteindelijk verdwenen de plannen in de prullenbak.

# SLOT

*De schaduw van de oorlog*

Mozambique heeft zichzelf het afgelopen decennium opnieuw uitgevonden. Van verwoestende oorlog naar wederopbouw; van een eenpartijstaat naar pluralisme en onafhankelijke media; van een centraalgeleide economie naar een gepassioneerde omarming van de globalisering; van een gecentraliseerde staat naar decentralisatie en burgerinitiatieven.

Renamo, ooit een wrede guerrillagroep onder buitenlandse patronage, onderging een spectaculaire metamorfose. Ze accepteerde de voorwaarden van het vredesakkoord en de weigering van Frelimo om een regering van nationale eenheid te vormen. Renamo organiseerde zichzelf als politieke partij, en bleek in staat nationale verkiezingsraces aan te gaan en bereid te zijn in het parlement plaats te nemen als oppositiepartij. Nooit was er een echte dreiging van hernieuwde oorlog.

Maar beneden de oppervlakte borrelen de oude vijandschappen. Mozambique is na ruim een decennium vrede nog altijd tot op het bot verdeeld. De oorlog was niet alleen een politiek en militair conflict, maar ook een botsing van verschillende percepties van tijd en toekomst; van manieren van denken en voelen, tussen Afrikaanse tradities en de socialistische moderniteit. Van koloniaal Portugal erfde Mozambique een scheef ontwikkelde maatschappij, zonder wegen tussen het noorden en het zuiden; zonder communicatie tussen de noordelingen en de zuiderlingen. En nog steeds is het platteland geografisch, en ook economisch en sociaal mijlenver verwijderd van de hoofdstad Maputo, de financiële *hub* en het centrum van politieke macht, intellectuelen, kunstenaars en stedelijke cultuur.

Nieuwe partijen maken nog weinig kans de race tussen de twee reuzen te doorbreken en voor een frisse wind te zorgen op het Mozambikaanse politieke toneel. Het stemgedrag wordt nog altijd overschaduwd door de oorlog, al is er nu een jongere generatie zonder persoonlijke herinneringen aan de wreedheden en verwoestingen. De politieke macht ligt vrijwel geheel bij Frelimo. Van een controlerende rol van het parlement is geen sprake. Het ontbreekt de jonge Mozambikaanse rechtsstaat aan een goedfunctionerend justitieel apparaat. Het vertrouwen van de bevolking in de politie is minimaal en het zwakke rechtssysteem speelt de corruptie in de kaart. Maar de grootste uitdaging waar Mozambique de komende jaren voor staat is de economische groei voelbaar te maken voor iedereen. In de schaduw van de steden en op het platteland voelt de bevolking zich buitengesloten van de wederopbouw en vooruitgang.

# RELATIES MET NEDERLAND EN BELGIË

**Bedrijfsleven**
De Nederlandse handel met Mozambique is nooit erg omvangrijk geweest. Nederland voerde in 2003 voor 36,5 miljoen euro aan Mozambikaans tabak, fruit, ijzer en aluminium in. De uitvoer naar Mozambique bedroeg in hetzelfde jaar 5,6 miljoen euro en bestond vooral uit chemische producten, machines en vervoermaterieel. De handel was intensiever in de jaren daarvoor. Nederland importeerde in 2002 voor 47,4 miljoen euro uit Mozambique en exporteerde voor 15,2 miljoen euro aan goederen.

Met de Nederlandse investeringen in Mozambique is het niet beter gesteld. In 2000 stopte het Nederlandse bedrijfsleven 5 miljoen euro in het land. Vaak gaat het om kleinere bedrijven in de consultancy, landbouw en het toerisme. Een uitzondering zijn de investeringen in de haven van Beira. De gemeente Amsterdam besloot in 1987 bij te dragen aan rehabilitatie van die haven door middel van een kennis- en geldinjectie. Men hoopte dat schepen op den duur naar Beira zouden varen, in plaats van naar Durban, waardoor het voormalig apartheidsregime in Zuid-Afrika lading zou mislopen en geïsoleerd werd. De Nederlandse regering nam het project over en gaf de klus aan Amsterdam Port Consultants, een organisatie van Amsterdamse havenbedrijven.

Om de investeringen in Mozambique aan te moedigen komt het land in aanmerking voor allerlei subsidieprogramma's, zoals het Programma Samenwerking Opkomende Markten (PSOM) dat projectinitiatieven van Nederlandse ondernemers en lokale partners in ontwikkelingslanden steunt. Ook ratificeerden Nederland en Mozambique in 2001 een overeenkomst om investeringen te beschermen en het bedrijfsleven meer zekerheid te bieden. Maar ondernemers noemen de slechte infrastructuur, bureaucratie, corruptie en onduidelijke wetgeving in Mozambique belemmeringen voor grootscheepse economische activiteiten.
België is een belangrijke handelspartner van Mozambique. Het betreft vooral de invoer van metalen uit Mozambique, in 2003 met een waarde van 274 miljoen euro. De Belgische uitvoer naar Mozambique had dat jaar een omvang van 8,7 miljoen euro, en betrof vooral chemische producten en machines.

**Ontwikkelingssamenwerking**
Mozambique is een van de 36 partnerlanden waarmee Nederland een bilaterale ontwikkelingsrelatie onderhoudt. De Nederlandse uitgaven zijn geconcentreerd op de verbetering van het onderwijs, de gezondheidszorg, watervoorziening en het milieu, hoewel soms ook activiteiten op het gebied van goed bestuur, zoals decentralisatie, de hervorming van de politie en vrouwenemancipatie financieel ondersteund worden. Regionaal is Nederland vooral actief in de provincie Nampula, in het noorden van Mozambique.

Naast de hulp aan de prioriteitssectoren leverde Nederland tussen 1996 en 1999 bijdragen aan de verlichting van de Mozambikaanse schulden in het kader van het HIPC-initiatief. Sinds de komst van het armoedebestrijdingsplan (PARPA) van de Mozambikaanse regering in 2001 draagt Nederland niet meer bij aan de schuldenverlichting maar aan de nationale begroting. Die begrotingssteun bedraagt in totaal 45 miljoen euro (17 miljoen in 2003, 14 miljoen in 2004 en 14 miljoen in 2005). De totale Nederlandse ontwikkelingshulp aan Mozambique bedroeg in 2003 35,6 miljoen euro; in 2004 gaf Nederland 29,6 miljoen euro aan ontwikkelingshulp aan Mozambique.

In het verleden steunde de Nederlandse ambassade in Maputo op eigen houtje projecten. Maar sinds de oprichting van de donorengroep, die gezamenlijk wordt voorgezeten door de Wereldbank en de UNDP, wordt de financiering zoveel mogelijk in overleg met de overheid en andere donoren afgesproken. Van de Nederlandse particuliere organisaties zijn onder meer Novib, Hivos, SNV en het Nederlands Instituut voor Zuidelijk Afrika actief in Mozambique. De Nederlandse betrokkenheid bij Mozambique ontstond voornamelijk in de jaren zestig door de steun van solidariteitsbewegingen als de Eduardo Mondlane Stichting en kerkelijke organisaties aan de onafhankelijkheidsstrijd van Frelimo. Ook voor België is Mozambique een partnerland ontwikkelingssamenwerking. In 2003 bedroeg de bijdrage van Belgische kant 7,7 miljoen euro, waarvan 4,8 miljoen bilateraal, 0,8 miljoen via particuliere organisaties en nog eens 1,7 miljoen euro via de Vlaamse Gemeenschap. De Vlaamse ontwikkelingsbijdrage richt zich vooral op programma's voor aidspreventie (onder meer in het onderwijs) en capaciteitsopbouw in de gezondheidszorg. Ook de Belgische hulp sluit aan bij het Mozambikaanse actieplan voor de bestrijding van extreme armoede. Een aantal Belgische NGO's is ook actief in Mozambique, voornamelijk op het terrein van noodhulp. Het betreft Artsen zonder Grenzen, Caritas, Damiaanactie,

DMOS, FOS, Oxfam, het Rode Kruis en Tearfund.

**Samenwerkingsverbanden**

Tussen de gemeente Amsterdam en de Mozambikaanse havenstad Beira bestaat sinds 1993 een stedenband. Maar de stedenband wordt vanaf 2003 in drie jaar tijd afgebouwd. Een deel van de activiteiten zal voortgang vinden binnen de programma's van het Nederlands Instituut voor Zuidelijk Afrika (NIZA) dat de stedenband coördineerde. Tussen het Nederlands en het Mozambikaanse parlement bestaat een samenwerkingsverband en ook tussen de Nederlandse politieke partijen en de Mozambikaanse politieke partijen via het Institute for Multiparty Democracy (IMD). Deze hebben vooral het karakter van capaciteitsopbouw en technische assistentie.

### De strijd om schoon drinkwater

In Inguri, een dichtbevolkte wijk met 45 duizend inwoners in de kustplaats Angoche, had in 1996 slechts 4 procent van de bevolking toegang tot schoon drinkwater. Het oude waterleidingsysteem was al twintig jaar kapot, mensen en dieren dronken uit dezelfde open putten. Het lokale waterbedrijf kon niet produceren voor de maximumprijs die de overheid had ingesteld. Na overleg tussen de overheid, een buitenlandse financier en ontwikkelingsorganisatie SNV kwam in 1996 geld beschikbaar om in Inguri veertig openbare kranen aan te leggen. Elk huizenblok zou zijn eigen kraan krijgen en iedereen leek bereid het vaste tarief te betalen. SNV adviseerde het waterbedrijf en trainde vrijwilligers in beheer en onderhoud van kranen.

De start van het project was moeizaam. Aannemers lieten het er bij zitten, waterleidingen verdwenen, getrainde mensen verhuisden en prijzen van bouwmaterialen verdubbelden. Toen de kranen klaar waren (geen 40 maar 19), twistten provinciale en nationale bestuurders vier maanden lang over de vraag wie het lintje mocht doorknippen. Maar uiteindelijk ging het water dan toch stromen. Niet voor lang echter. De vrijwilligers inden de symbolische tarieven niet, of droegen het geld niet over aan het waterbedrijf. Kranen gingen kapot of verdwenen. Bewoners, SNV'ers en het waterbedrijf bogen zich opnieuw over het probleem. Voorgesteld werd om elke kraan van een watermeter te voorzien en de kraan te verhuren aan één persoon. Deze zou het water tegen een redelijke prijs kunnen verkopen en aan het eind van de maand het waterbedrijf het bedrag op de meter moeten betalen. Voor het probleem dat deze 'privatisering' niet strookt met het overheidsbeleid, werd een creatieve oplossing gevonden. Vrijwilligers beheren nu de kranen, en ontvangen in ruil voor de moeite een 'subsidie'. Dat blijkt te werken. Er verdwijnen inmiddels geen kranen meer en de inkomsten van het waterbedrijf zijn verzesvoudigd. Het grootste succes is dat 35 procent van de wijkbewoners nu schoon water drinkt.
*Bron: Ministerie van Buitenlandse Zaken*

# REISINFORMATIE

De Mozambikaanse natuur is nog altijd herstellende van decennia van oorlog en verwaarlozing. Toch hoopt het land op termijn de vruchten te plukken van het vele natuurschoon. De regering geeft prioriteit aan de ontwikkeling van het toerisme en stimuleert investeringen in de sector. Maar de toeristenstroom is nog gering. Bovendien komen bezoekers vaak niet verder dan de zuidelijke regionen: Maputo en de met palmbomen bezaaide stranden tot aan Inhambane.

Het noorden en het westen van Mozambique zijn nog voornamelijk het domein van *backpakkers* en andere avonturiers. Tot de topografische hoogtepunten behoren de Bazaruto-archipel, de stranden in het verre noorden rondom Pemba, het indrukwekkende landschap van de provincie Niassa, de heuvels rondom Gurúe en het Chimanimani-gebergte bij de grens met Zimbabwe.

De infrastructuur is nog niet berekend op een grote toestroom van toeristen en de voorzieningen zijn mager. Investeerders staan nog niet te trappelen om lodges te bouwen in de nationale parken, vanwege het schaarse wild. De parken worden nu aangevuld met wilde dieren uit de buurlanden. Zo kreeg het Gorongosa-park eind 2004 vijfhonderd olifanten uit Botswana. Sinds de komst van het megapark in het zuidoosten van Mozambique, het Great Limpopo Transfrontier Park, hoeven de dieren niet meer uit Zuid-Afrika te worden gehaald: ze komen nu op eigen houtje.

VEILIGHEID
Veiligheid is over het algemeen geen probleem in Mozambique. Met gewone voorzorgsmaatregelen (neem een taxi in de avond en nacht) zijn moeilijkheden te voorkomen. Het platteland moet bij voorkeur overdag worden bereisd. Een sloppenwijk bezoeken is alleen veilig onder begeleiding van iemand die er goed de weg weet. Tenslotte: pas op in het verkeer. Het gaat er op de weg niet altijd even zachtzinnig aan toe. Verkeerslichten en zebrapaden hebben niet altijd de autoriteit die ze zouden moeten hebben.

BESTE REISTIJD
Er is niet echt een beste reistijd aan te geven. De regentijd breekt meestal in november aan en duurt tot ongeveer maart. In de droge tijd lopen de temperaturen hoog op, tot meer dan 40 graden in Maputo.

ADRESSEN
Ambassade van Nederland in Mozambique
Av. Kwame Nkrumah 324, Maputo
(postadres) C.P. 1163, Maputo
Tel: +258 (1) 490 031
Fax: +258 (1) 490 429
E-mail: map@minbuza.nl
Website: www.nlembassy.org.mz

REISDOCUMENTEN
Nederlanders en Belgen hebben voor Mozambique een visum nodig, vooraf aan te vragen bij de Mozambikaanse ambassade. Het paspoort dient bij vertrek nog zes maanden geldig te zijn en men moet in het bezit zijn van een retourticket.

GEZONDHEID
Voor een bezoek aan Mozambique zijn vaccinaties niet verplicht. Toch zijn inentingen tegen DTP (difterie, tetanus en polio), hepatitis A (geelzucht) en gele koorts verstandig. Malaria komt in heel Mozambique voor. Drink geen kraanwater, ook niet in de grote steden, maar gekookt of gefilterd water of mineraalwater uit flessen. In stilstaand en langzaam stromend zoet water komt bilharzia voor.

Verder zijn er consulaten in Beira en Nampula
Beira: Tel. +258 (3) 322 735
E-mail: consulbeira@teledat.mz
Nampula: tel. +258 (6) 215 977 / 212 850
E-mail: phaffdemoor@teledata.mz

# DOCUMENTATIE

JOURNALISTIEK & ACADEMISCH
Hanlon, J., *Mozambique: who calls the shots?*
Boomington, Indiana, 1991
Newitt, M., *A History of Mozambique.*
Boomington, Indiana, 1995
Hall, M. and Young, T., *Confronting Leviathan:
Mozambique since independence.* Columbus,
Ohio, 1997
Soderbaum, F. (ed)., *Regionalism and Uneven
Development in Southern Africa: The Case of the
Maputo Development Corridor.* Ashgate, 2003

LITERATUUR
Couto, M., *De dag waarop Mabata Bata explo-
deerde.* Baarn, 1996
Couto, M., *Slaapwandelend land.* Baarn, 1996
Honwana, L.B., *We killed Mangy-Dog and other
stories.* Oxford, 1969
Momplé, L., *Neighbours: the story of a murder.*
Oxford, 2001
Sandifort, M, A., *De cholerafabriek.* Amsterdam,
2002
Dis, A. van, *In Afrika.* Amsterdam – 1999
Saint Aubin de Teran, I., *Mijn dorp in
Mozambique.* Amsterdam, 2005

REISGIDSEN EN REIVERHALEN
Fitzpatrick, M., *Mozambique.* Victoria, Lonely
Planet Publications, 2000
Olivier, W. & S., *Mozambique, African adventu-
rer's guide to.* Capetown, 1999
Briggs, P., *Mozambique*, Bradt travellers guide.
Bucks (Engeland), 2002
Slater, M., *Mozambique*, Globetrotter Travel
guide, Londen, 2002
Hupe, I., *Reisen in Mozambik.* München, 2002

WEBSITES
www.poptel.org.uk/mozambique-news (nationaal pers-
bureau AIM)
www.mol.co.mz/noticias (nieuws)
www.mozambique.mz (site opgezet met Ed.
Mondlane universiteit, met link naar Awepa)
www.africaserver.nl/front.htm (het leuke van Afrika –
overzichtssite)
http://mozambique.pagina.nl/ (startpagina met veel
links)

VERVOLG ADRESSEN
België beschikt niet over een eigen ambassade in
Mozambique. De belangen worden in behartigd
door de ambassade in Zimbabwe.

Tanganyika House, 5th floor
23 Third Street / Kwame Nkrumah Avenue,
Harare
(postadres) PO Box 2522 Harare
Tel: +263 (4) 700 955 / 43
Fax: +263 (4) 703 960
E-mail: harare@diplobel.org of
belemb@mweb.co.zw
Website: www.diplomatie.be/hararenl

Er is in Maputo wel een Belgisch Bureau
ontwikkelingssamenwerking
Av. Kenneth Kaunda 470, Maputo
Tel: +258 (1) 492 009 / 029 / 033
Fax: +258 (1) 491 987
E-mail: maputo@diplobel.be

Ambassade van Mozambique voor Nederland en
België
Bd. Saint-Michel/Sint Michielslaan, 97
1040 Etterbeek, Brussel
Tel: 02 736 0096 / 2564
Fax: 02 735 6207
E-mail: maria.manuelaucas@skynet.be

# KERNCIJFERS (zie jaartal, anders meest recente cijfers)

BEVOLKING (zie ook pag. 28 en 45)
*Leeftijdsopbouw:*
0-14 jaar: 43,6%
15-64 jaar: 53,6%
65 plus: 2,8% (sch. 2004)
*Gemiddelde leeftijd:* 18,2 jaar
*Stedelijke bevolking:* 36%
*Groei stedelijke bevolking:* 5,1%
(sch. 2000-2005)
*Zuigelingensterfte (<1 jaar, per
1.000 levendgeborenen):* 122
(sch. 2000-2005)

*Gebruik voorbehoedsmiddelen
(vrouwen 15-49 jaar, moderne
methodes):* 5%
*Aantal baby's per 1.000 meisjes in
de leeftijd van 15-19 jaar:* 105
*HIV-besmetting (15-49 jaar):*
10,6% mannen / 13,8% vrouwen
(sch. 2003)
*Ondergewicht kinderen (<5 jaar):*
26% (1995-2002)

*Toegang tot essentiële medicijnen:*
89% (2003)
*Overheidsbudget dat wordt
besteed aan gezondheidszorg:* 4%
*Human Development Index (rang-
lijst van landen, gemeten naar
levensverwachting, onderwijspres-
taties en inkomen per hoofd van
de bevolking):* nr. 171 van in totaal
177 landen (2004)

ECONOMIE (zie ook pag. 46)
*Munteenheid:* metical (MZM)
*Natuurlijke hulpbronnen:* kolen,
titanium, gas, waterkracht, tan-
talum, grafiet
*BNP:* 4,3 miljard dollar (schatting
EU)
*Samenstelling BNP naar sector:*
20,1% landbouw, 27,3% industrie,
52,7% diensten
*Deel bevolking onder de armoede-
grens:* 70% (sch. 2001)
*Inkomensverdeling:* armste 10%
van de bevolking 2,5%; rijkste
10%: 31,7% (1997)
*Inflatie:* 14% (sch. 2004)
*Export goederen en diensten
(% BNP):* 23,5 (2002)
*Import goederen en diensten
(% BNP):* 38,2 (2002)

*Balans lopende rekening:* -566
miljoen dollar (sch. 2004)
*Totale schuld (huidige dollars):*
893,7 miljoen dollar (2003)
*Schuldendienst (% van export van
goederen en diensten):* 6,1%
(2002)
*Militaire uitgaven ( % van BNP):*
2,2% (2003)
*Buitenlandse handel:*
Export
Omvang: 795 miljoen dollar
(2003)
Belangrijkste producten: aluminium, garnalen, elektriciteit, katoen,
industriële producten
Belangrijkste partners: België
26%, Zuid-Afrika 14,4%, Italië

9,6%, Spanje 9,5%, Duitsland
8,3%, Zimbabwe 4,7%
Import
Omvang: 1,270 miljoen dollar
(2003)
Belangrijkste producten: machines, onderdelen, voertuigen,
brandstoffen, textiel, metaalpro-
ducten
Belangrijkste partners: Zuid-Afrika 26,3%, Australië 9,2%, VS
3,9%
Communicatie
*Telefoon (vast en mobiel per 1000
inwoners):* 18,6 (2002)
*Personal computers( per 1000
inwoners):* 4,5 (2002)
*Internetgebruikers:* 50.000 (2002)

NATUUR EN MILIEU
*Energievoorziening:* waterkracht
97,1%, fossiele brandstoffen 2,9%
*Bevolking met toegang tot veilig
drinkwater:* 57%

*Bronnen:*
UNFPA State of the World
Population 2004
World Bank Country Profiles
2004
UNDP Human Development
Report 2004
CIA World Factbook 2004

Tijdsverschil
Amsterdam / Brussel
(zomertijd 13.00 uur
Maputo 13.00 uur

## Geografie

*Officiële naam:* Republiek Mozambique
*Coördinaten:* 18 15 Z, 35 00 O
*Ligging:* Zuidoost-Afrika, grenzend aan de Straat Mozambique
(Canal de Mozambique), tussen Tanzania en Zuid-Afrika
*Oppervlakte:* 801.590 km$^2$ (waarvan 17.500 km$^2$ water)
*Kustlijn:* 2.470 km
*Landgrenzen:* 4.571 km (Malawi 1.569 km, Zuid-Afrika 491 km,
Swaziland 105 km, Tanzania 756 km, Zambia 419 km, Zimbabwe
1.231 km)
*Hoogste punt:* Monte Binga (2.436 m)
*Laagste punt:* Indische Oceaan (0 m)
*Klimaat:* tropisch tot sub-tropisch
*Fysisch milieu:* voornamelijk kustvlaktes, heuvels in het midden,
plateaus in het noordwesten en bergen in het westen.